法學博士 石田文次郎著

訂改 民法大要

（債權各論）

書肆 有斐閣

目次

条文索引

第一章　債權契約

第一節　債權契約の成立

債權契約は、原則として申込の意思表示と承諾の意思表示とが其内容に於て合致すること、卽ち合意によつて成立する。然し、當事者の意思表示の内容が客觀的に合致して居れば、必ずしもそれ等の意思表示が申込と承諾との關係に立つてゐなくても、契約は成立する。例へば、契約の當事者が偶然に爲した雙方の申込の内容が一致してゐる場合の如きである（交叉申込）。

第一款　申　込

一　申込の意義

申込とは、これに應ずる承諾と相俟つて一定内容の契約を成立せしめることを目的とする意思表示である。申込には申込者の何人たるかを明かにするの必要がない。例へば、姓名在社といふが如き匿名申込でもよく、又自動販賣機の如きも其設置によつて申込が存在すると見ることが出來る。更に申込の相手方が特定してゐることも必要でない。例へば、電車の停留所に於ける停車、劇場の開設の如きはそれである。然し、申込はこれに應ずる承諾があれば直ちに契約を成立せしめんとする意思表示であるから、他人から申込を爲さしめんとする「申込の誘引」とは區別せねばならぬ。例へば、貸家札・募集廣告・物品販賣の廣告・商品見本の送付・定價附商品の陳列・時間表の掲示等の如きは申込でなく「申込の誘引」である。

二　申込の承諾適格

申込は、これを承諾して契約を成立せしめ得る法律上の地位を相手方に與へるものである。これを申込の承諾適格若くは承諾能力といふ。勿論申込の相手方は、特別の規定のない限り承諾を爲すべき法律上の義務を負はない。申込者が一定期間内に諾否の通知を爲すべき旨を定めたときは、承諾期間を定めた申込となり、此期間内に承諾の通知が到達しなかつたときは、其申込は承諾適格を失ふ（五二一條二項）。承諾の通知が通常の場合に於ては承諾期間内に到達し得るやうに發信されたが、實際には其期間經過後到達したときは、相手方は期間内に到達して契約が成立したものと誤信し、不測の損害を蒙る虞がある。そこで民法は、右の事情を知り得るやうな場合に限り、申込者に承諾延着の通知義務を負はしめ（五二二條一項）、申込者がこれを怠つたときは、承諾は延着せず、契約は成立するものと看做して（五二二條二項）、相手方を保護した。申込者が承諾の通知を受ける前に遲延の通知を發したときは、相手方は、承諾が承諾期間内に到達しなかつたことを知り得るから、不測の損害を蒙る虞がない。故に此場合には、再度延着通知を爲さなくとも、申込は承諾適格を失ふ（五二二條一項但書）。

申込者が諾否の返答がなければ承諾したものと認めるといふやうな通知を爲しても、相手方を拘束しない。唯、商法第五〇九條は、諾否の通知を怠つたときに承諾したものと看做す旨を規定してゐるにすぎない。申込者が申込と同時に物品を送付した場合に於ても、相手方は保管義務を負はない。但、商法には特則がある（商五一〇條）。

申込受領者が申込者に對して承諾を爲さない旨を表示したときは、申込は承諾適格を失ふ。尚、民法は、承諾者が申込に條件を附し、其他變更を加へて承諾したときは、其申込の拒絶となると共に、新な申込を爲したものと看做してゐる（五二八條）。

申込者が申込の發信後其到達前に死亡し、又は能力を喪失しても、申込の意思表示は成立する（九七條二項）。但、民法は、申込者が特に反對の意思を表示したとき、又は相手方が死亡若くは能力喪失の事實を知つたときには、此原則を適用しないとしてゐる（五二五條）。

三　申込の撤回

申込の意思表示が成立すると、それは承諾適格を生ずるに至るから、申込者に於てこれを任意に撤回し得ない。これを申込の拘束力といふ。故に承諾期間を定めたときは、其期間內は申込の意思表示を撤回し得ない（五二一條一項）。又、民法は、承諾期間を定めずに隔地者に爲した申込は、申込者が承諾の通知を受けるに相當な期間これを撤回し得ないと規定してゐる（五二四條）。

申込を撤回する意思表示は、承諾の發信前に相手方に到達しなければ、撤回としての效力を生じない。然し、撤回の通知が承諾を發した後に到達しても、承諾者が通常發信前に到達するやうに發送されたことを知り得る場合には、承諾者は遲滯なく申込者に對し延着の通知を爲さねばならぬ（五二七條一項）。若し承諾者が其通知を怠つたときは、申込は撤回されたことになり、契約は成立しなかつたものと看做される（五二七條二項）。

第二款　承　諾

一　承諾の意義

承諾とは、申込に應じて契約を成立せしめるがために、申込受領者が申込者に對して爲す意思表示である。承諾は、申込が承諾適格を有してゐる間にこれを爲さなければ、契約を成立せしめることは出來ない。但、遲延した承諾は、申込者に於てこれを新な申込と看做すことが出來る（五二三條）。

二　意思實現による承諾

意思實現とは、直接に承諾の意思を表示する行爲ではないが、其行爲を通じて承諾の意思の存在を推認し得る行爲である。斯る行爲が爲されたときは、默示的に承諾の意思表示があつたと解してよいから、契約の成立を認めるのが當然である。此場合には、申込者に於て斯る行爲の存在を知ると否とに拘らず、直ちに契約は成立することとなる（五二六條二項）。民法が意思實現によつて承諾があつたものとしてゐる場合は、次の二つである（五二六條二項）。

1　申込者の意思表示により承諾の通知を必要としない場合。　此場合には、申込受領者が、送付の商品を消費するが如く、契約に基いて取得した權利の行使と見られるやうな行爲を爲し、又は契約上の義務の履行と見られるやうな行爲若くは履行のための準備行爲を爲すときに、契約は成立する。

2　取引上の慣習により承諾の通知を必要としない場合。　此場合には、承諾期間又は承諾を爲すにつき相當な期間の經過と共に契約は成立する。例へば、取引所の取引、醫療に關する契約の如きである。

第三款　債權契約成立の時期及び場所

一　債權契約成立の時期

元來債權契約は、承諾の意思表示が成立した時、從つて隔地者間に於ては、それが相手方に到達した時に成立する。然し、民法は、取引の迅速性に應じて、契約成立の時期を遡及せしめ、承諾の通知を發した時に債權契約は成立するとした(五二六條一項)。

二 債權契約成立の場所

債權契約の成立には、承諾の意思表示の成立を必要とするから、特に規定のない限り、承諾の到達すべき場所を以て契約の成立する場所とせねばならぬ。現に法例第九條第二項も、涉外關係につき、申込の通知を發した地を以て行爲地とし、申込受領者が申込の發信地を知らないときは、申込人の住所地を以て行爲地としてゐる。

第四款　懸賞廣告

一 懸賞廣告の性質

懸賞廣告とは、特定の行爲を爲した者に一定の報酬を與へることを廣告の方法によつて表示する契約の申込である(五二九條)。廣告は不特定の多數人に了知せられ得べき表示方法であつて、必ずしも書面によることを要しない。又、懸賞廣告に於て指定する行爲は、事實上の行爲たると、法律上の行爲たるとを問はない。

二　懸賞廣告の撤回

廣告者は、指定行爲の完了前に於ては、懸賞廣告と同一の方法によりこれを任意に撤回し、又は變更し得る(五三〇條一項)。これと異る方法によるときは、前の廣告と同一方法により得る場合であると否とを問はず、其撤回又は變更はこれを知つた者に對してのみ其效力を有するにすぎない(五三〇條二項)。廣告者は豫め懸賞廣告の撤回又は變更を爲さない旨を表示し得るが、斯る表示を爲さなくとも、廣告者が指定行爲を爲すべき期間を定めたときには、民法は、其撤回權若くは變更權を拋棄したものと推定してゐる(五三〇條三項)。

三　懸賞契約の效力

懸賞廣告に於て指定した行爲を完了した者があるときは、懸賞契約は成立し、完了者は報酬請求權を取得する。完了者が數人ある場合には、第五三一條の規定により、報酬請求權が定められる。

四　優等懸賞廣告

優等懸賞廣告とは、廣告に定めた行爲を爲した者の中優等者のみに報酬を與へるといふ懸賞廣告である。普通の懸賞廣告と異る點は、指定行爲の完了のみによつて契約は成立せず、優等者であると判定されて始めて契約が成立することである。尙、優等懸賞廣告に於ては、必ず應募期間を定めなければならぬ(五三二條一項)。廣告中に判定者を定めなかつたときは廣告者が判定者となる(五三二條二項)。判定の結果に對しては、應募者は異議を述べることが出來ない(五三二條三項)。優等者と判定された者は廣告者に對して報酬請求權を取得する。數人の行爲が同等と判定されたときは、第五三一條第二項の規定による(五三二條四項)。

第二節　第三者の爲にする契約

一　第三者の爲にする契約の意義及び性質

第三者の爲にする契約とは、契約の當事者でない第三者をして、契約の當事者の一方に對し直接に債權を取得せしめることを目的とする契約である。此契約によつて第三者に對し債務を負擔するに至る當事者を諾約者といひ、他の當事者を要約者といふ。第三者を保險金受取人とする保險契約、第三者を年金請求權者とする年金契約は何れも此第三者の爲にする契約である。

二　第三者の爲にする契約の要件

1　諾約者と要約者との間に有效な契約の成立すること。諾約者も要約者も各々自己の名に於て意思表示を爲すのであり、第三者の代理人としてこれを爲すのではない。

2　第三者をして直接に債權を取得せしめることを內容とすること。但、第三者の特定してゐることは此契約の成立要件ではない。

三　第三者の爲にする物權契約

第五三七條以下に規定する第三者の爲にする契約は、單に第三者をして債權を取得せしめる契約にすぎない。然し、第三者の取得する權利が債權であるか物權であるかによつて區別しなければならぬ理由は存在しないから、第三者の爲にする物權契約についても、第五三七條以下を類推適用してよい（昭和五・一〇・二大判）。

四　第三者の爲にする契約の原因關係

1　補償關係　諾約者が第三者に給付を爲すことによつて蒙むる財産上の損失は、要約者との間の原因關係により補償される。此諾約者と要約者との間の原因關係を補償關係といふ。例へば、諾約者と要約者間に賣買・消費貸借・贈與の行はれることがあり、又兩者間に存在した債務の辨濟のためなることがある。諾約者は補償關係を原因として第三者の爲にする契約を爲すのであるから、補償關係から生ずる抗辯權を以て第三者に對抗することが出來る。

2　對價關係　要約者が第三者に權利を取得せしめるについては、第三者との間に原因關係がなくてはならぬ。例へば、要約者が第三者に支拂ふべき債務を諾約者から直接に支拂はしめるとか、又は第三者に贈與すべき物を諾約者より直接に給付せしめるとかの如きである。此要約者と第三者間の原因關係を對價關係といふ。對價關係は第三者の爲にする契約と無關係であるから、對價關係に基く抗辯權を以て諾約者は第三者に對抗することが出來ない。

五　第三者の爲にする契約の效力

1　第三者と諸約者間の效力　第三者の爲にする契約は、諾約者と要約者との合意によつて其效力が生ずるけれども、第三者の權利はそれと同時に發生せずに、第三者が諾約者に對し契約の利益を享受する意思表示をした時に發生する（五三七條二項）。然し、これは第三者の意思を尊重するがために設けられたものであるから、第三者の受益の意思表示を絶對的要件と解すべきではない。故に其契約の內容上第三者の意思に反しないことが明白なときには、第三者の受益の意思表示を俟たず直ちに第三者の權利を發生せしめることを特約しても、其特約を有效と解してよい。

第三者の爲にする契約が成立すると、第三者は一方的意思表示により權利を取得し得る形成權を有する。契約の當事者は、第三者が此形成權を行使するまでは、合意を以て第三者の取得すべき權利の內容を變更し、又は消滅せしめ得る（五三八條反對解釋）。然し、第三者が受益の意思表示を爲したときは、第三者と諾約者との間に債權關係が生ずるから、契約の當事者は、第三者の意思に基かずに、其債權を變更又は消滅せしめることは出來ない（五三八條）。

第三者の權利は第三者の爲にする契約によつて發生するのであるから、諾約者は此契約から生ずる一切の抗辯權を以て、第三者に對抗することが出來る(五三九條)。

2 要約者と諾約者間の效力　第三者の爲にする契約によつて、要約者は諾約者に對し、第三者に給付すべきことを請求し得る。第三者が受益の意思表示を拒絕し、又は權利を拋棄した場合には、特約なき限り、第三者の爲にする契約は履行不能によつて消滅すると解してよい。

3 第三者と要約者間の關係　第三者と要約者との間には、第三者の爲にする契約上の效力は生じない。唯、要約者が、對價關係の存在しないにも拘らず、存在すると信じて第三者の爲にする契約を爲し、第三者が利益を得たときは、要約者は第三者に對し不當利得の返還請求を爲すことが出來る。

第三節　雙務契約の效力

雙務契約とは、其法律效果として各當事者が互に對價的意味を有する債務を負擔する契約である。雙務契約は雙方の債務を條件的に結合せしめてゐる有償契約であるから、一方の債務が發生しないときは、他方の債務も亦成立しない。これを成立に關する兩債務の牽連といふ。これと同樣の牽連關係は、雙方の債務の履行に關しても生じ、又一方の債務が履行不能により消滅する場合に、他方の債務も亦消滅するやといふ兩債務の消滅に關しても生ずる。履行に關する牽連は同時履行の抗辯の問題であり、消滅に關する牽連は危險負擔の問題である。

第一款　同時履行の抗辯權

一　同時履行の抗辯權の性質

雙務契約に於ける履行の牽連を定める方法として、各當事者が履行又は履行の提供を爲すことを以て、相手方に對する請求權行使の要件とする方法と、各當事者は相手方に對して自由に履行を請求し得るが、唯相互に相手方が反對給付を提供するまで、自己の給付を拒否し得る抗辯權を與へる方法とがある。我民法は後の方法を採用したから（五三三條）、同時履行の抗辯權の性質は、相手方の履行の提供あるまで自己の債務の履行を拒み得るといふ延期的抗辯權である。

二　同時履行の抗辯權の成立要件

1　雙方の債務が同一の雙務契約より發生し且互に對價關係にあること。雙方の債務が對價關係になき場合には、同時履行の抗辯權は成立しない。例へば、有償寄託に於ける報酬請求權と寄託物返還義務の如きである(六六五條・六四八條二項)。繼續的給付を目的とする債務に於ては、前期に於ける對價債務と後期に於ける給付義務との間に同時履行の抗辯權が成立する(明治四一・四・二三大判)。

同時履行の抗辯權は雙務契約上の履行の牽連より生ずるものであるから、雙方の債務が同一の雙務契約に基き發生したことを要する理である。然し、同一の雙務契約に基かない雙方の債務でも、交換的に行はれる性質を有し、且當事者の一方より自己の債務を提供せずに相手方の債務の履行を請求することが、信義の原則に反するやうな場合には、法律の規定により、或は信義の原則により、同時履行の抗辯權の認められる場合が少くない。例へば、契約解除による原狀回復義務の履行につき、民法は同時履行の抗辯權を認めてゐる（五四六條）。取消の原狀回復についても同樣である。又、借地人若くは借家人が賃貸人に對して造作の買取請求を爲した場合に、賃貸人の支拂ふべき造作代金と家屋の明渡との間には、同時履行の抗辯權が生ずると解してよい（昭和七・一・二六大判）。

2　相手方の債務が辨濟期にあること。　相手方の債務が辨濟期にあるや否やは、同時履行の抗辯權を行使する時を標準として定めねばならぬ。當事者の一方が法律の規定又は特約により相手方より先に履行を爲すべき義務（先踐義務）を負擔するときは、其當事者は同時履行の抗辯權を有しない。然し、相手方の債務が辨濟期にあることを要するのみであり、雙方の債務の辨濟期が同時に到來することを要しない。

3　相手方が自己の債務の履行又は履行の提供を爲さずに履行の請求を爲したこと。　相手方が全部の履行の提供を爲さない場合は勿論、一部の履行の提供を爲すか、又は全部の履行の提供を爲しても不完全である場合には、全部の履行を拒否する抗辯權が成立する。尤も、雙方の債務が分割給付を許す場合に、一方の當事者が數量的に一部履行を提供したときは、相手方は殘存給付に比例した債務の履行についてのみ同時履行の抗辯權を有するにすぎない。當事者の一方が自己の債務につき履行を拒絶した場合には、相手方が履行の提供を爲さずに請求しても、同時履行の抗辯權を行使し得ない（大正一〇・一一・九大判）。甲は完全な履行の提供を爲して、相手方たる乙に反對給付を請求したに拘らず、乙はこれを受領しなかつたがために、受領遲滯と共に又自己の債務の履行遲滯にも陷つた。其後甲が再び履行の提供を爲さずに、乙に對し反對給付を請求した場合、乙は同時履行の抗辯を提出し得るか。惟ふに、乙が自己の遲滯を解消せしめずに、甲に對して履行を請求し得ることを認めるのは、信義の原則に反するから、乙は同時履行の抗辯を提出し得ないと解するのが正當である。

三　同時履行の抗辯權の效力

1　訴訟に於て、被告が同時履行の抗辯權を援用したときに、原告が自己の債務を履行又は履行の提供を爲したことを證明することが出來なくとも、裁判所は、原告の請求を棄却すべきでなく、被告に原告の履行の提供と引換に給付すべき判決（制限的原告勝訴の判決）を爲すべきである（明治四四・一二・一一 大正七，四・一五大判）。

2　相手方が履行の提供を爲さない場合に、自己の債務の履行を爲さないことも、法律上正當の理由に基いて履行を爲さないものといひ得るから、假令履行期が到來しても、相手方が自己の債務の提供を爲さない限り、履行遲滯の責を負はないと解するのが正當である（大正六・四・一九、大正九・一一・二九、大正一〇・三・一五大判）。

第二款　履行不能の雙務契約に及ぼす效力（危險負擔）

一　危險負擔の問題

雙務契約に於て債務者の責に歸すべからざる事由により履行不能が生じたときには、債務者は債務を免がれるが、此場合に、相手方たる債權者の負擔する債務も亦消滅すると爲すべきか（債務者危險負擔主義）、又は相手方たる債權者は尚自ら負擔する債務を履行せねばならぬと爲すべきか（債權者危險負擔主義）の問題が、茲に所謂危險負擔の問題である。我民法は、原則として債務者危險負擔主義を採り（五三六條一項）、例外として債權者危險負擔主義を規定してゐる（五三四條）。

二　債務者危險負擔主義の適用

雙務契約が特定物に關する物權の設定又は移轉以外の給付を目的とする場合に於て、當事者雙方の責に歸すべからざる事由により、履行不能が生じたときには、債務者は反對給付を受ける權利を有しない（五三六條一項）。蓋し、當事者一方の債務が履行不能によつて消滅するときには、これと交換關係にある他方の債務も消滅することは、雙務契約の性質上當然であるから、本條を此意味に於て原則的規定と解してよい。

以上の場合に於て、債務者は反對給付請求權を失ふから、既に債權者が反對給付を履行したときには、目的の消滅による不當利得返還の原則により、債權者はそれを取戻し得る（七〇三條）。又、債權者が履行不能となつたことを知らずに、反對給付をしたときは、非債辨濟として其返還を請求することが出來る（七〇五條）。履行の一部不能の場合には、債務者は不能の範圍に於て債務を免れると共に、債權者はこれに應じて比例的に減少した反對給付を爲せばよい。債權者の爲すべき反對給付が分割を許さないときは、債權者は一應全部の給付を爲した上、債務者が履行不能により債務を免れた範圍を金錢に見積り、不當利得返還の原則により、其金額の返還を請求することが出來る。

三　債權者危險負擔主義の適用

特定物に關する物權の設定又は移轉を以て雙務契約の目的と爲した場合、並に不特定物に關する契約については、目的物の特定後に於て、其物が債務者の責に歸すべからざる事由によつて滅失又は毀損したときは、債權者が其危險を負擔し、債務者は自己の債務を免れると共に、債權者に對し反對給付を請求し得る（五三四條）。但、債務者が全部又は一部の債務を免れたがために、利益を得たときには、其利益を債權者に償還せねばならぬ。又、物の滅失毀損によつて債務者が其物の代償たるべき利益を得たときには、債權者は其代償を自己に讓渡すべき旨を債務者に請求し得ると解してよい。

1　特定物に關する物權の設定又は移轉を目的とする雙務契約が停止條件附なる場合

條件附法律行爲に於て、其條件の成否未定の間に生じた履行不能は、法律行爲成立後に生じた不能であるから後發不能となる。故に民法は條件の成否未定中に生じた不能についても危險負擔に關する規定を設けた。卽ち、目的物が債務者の責に歸すべからざる事由により條件の成就前に滅失したときは、債務者が危險を負擔する（五三五條一項）。又、目的物が債務者の責に歸すべからざる事由により條件の成就前に毀損したときは、其毀損は債權者がこれを負擔し（五三五條二項）、債務者は毀損した物を給付して、債權者に完全な反對給付を請求することが出來る。反之、目的物が債務者の責に歸すべき事由により毀損したときには、債權者は、條件が成就した場合に、履行の請求か、又は契約の解除か、何れかを選擇することが出來る（五三五條三項）。尙、何れの場合にも損害が生じたときには、其賠償を請求することが出來る（五三五條三項但書）。

2 特定物に關する物權の設定又は移轉を目的とする雙務契約が解除條件附なる場合此場合には、債權は旣に發生し、唯其消滅が條件に繫つてゐるにすぎないから、條件の成就前に目的物が滅失又は毀損したときは、普通の場合と同樣に、債權者が危險を負擔することとなる（五三四條）。債權者が反對給付を爲した後に、條件が成就すると、債權者は債務者に對し目的消滅による不當利得を理由として、給付したものの返還を請求することが出來る。又、債權者が毀損物を受取り、これに對し完全な反對給付を爲したときは、毀損物を債務者に返還して、反對給付の返還を請求することが出來る。

四　履行不能が債權者の責に歸すべき事由によつて生じた場合

此場合には、雙務契約が特定物に關する物權の設定又は移轉を目的としてゐると否とに拘らず、債務者は不能となつた範圍に於て債務を免れるが、債權者は反對給付義務を免れない（五三六條二項）。但、債務者が自己の債務を免れたことを原因として利益を得たときは、これを債權者に償還せねばならぬ（五三六條二項但書）。

第四節　契約の解除

第一款　契約解除の意義

契約の解除とは、契約又は法律の規定によつて與へられた解除權の行使として、債權契約の效力を遡及的に消滅せしめることを目的とする解除權者の單獨行爲である（五四〇條一項）。從つて解除には相手方の同意を要しない。勿論、當事者は債權契約の效力を遡及的に消滅せしめることを目的とする解除契約を爲し得るけれども、それは玆に所謂解除ではない。

解除によつて契約は初より成立しなかつたと同一になり、契約に基く債權關係は遡及的に消滅する。故に單に將來に對する關係に於てのみ契約に基く債權關係を消滅せしめるにすぎない「告知」又は「解約告知」と解除とは異る。解除は非繼續的債權關係を消滅せしめる方法であるが、告知は繼續的債權關係を將來に向つて消滅せしめる單獨行爲であり、繼續的債權關係にのみ認められる方法である。告知の場合には、告知以前の法律關係の效力に何等の影響を與へないから、解除の如く原狀回復義務は發生しない。告知權も解除權と同樣に、法律の規定又は當事者の特約によつて發生する。民法は告知を、或は「解除」といひ（六〇七條・六一〇條・六一一條二項・六一二條二項・六二五條三項・六二六條・六二八條・六五一條）、或は「解約」といひ（六一八條・六二一條・六三一條・六四二條二項）或は「解約の申入」（六一七條・六一九條一項但書・六二一條・六二七條・六二九條一項但書・六三一條）といつてゐる。

第二款　解除權の發生

第一項　約定解除權の發生

當事者は契約を以て解除權を留保することが出來る。此解除權を約定解除權といふ。解除權を當事者一方のために留保することもあれば、雙方のために留保することもある。契約締結の際に、若し債務者が履行しないときは、當然契約は解除され其效力を失ふと約する所謂失權約款は、解除權の留保ではない。これは不履行を解除條件とする契約である。

約定解除權の行使方法並に效果につき特約がないときには、第五四〇條・第五四四條乃至第五四八條の規定による。

第二項　法定解除權の發生

法定解除權とは、當事者の一方が法律の規定に基き有する解除權である。此解除權の發生原因は契約一般に共通なものと、各種の契約に特殊なものとがある（五六一條乃至五六三條・五六五條乃至五六八條・五七〇條・六三五條・六三七條・六四一條）。茲には一般の解除原因について述べる。

一　履行遲滯による解除權

1　履行期が重要でない場合　　此場合には、債務者の履行遲滯によつて直ちに解除權は發生しない。一應債權者をして履行の催告を爲さしめ、尙且債務者が履行を爲さないときに初めて解除權が認められる(五四一條)。卽ち、解除權發生の要件は、

(イ)　債務者が債務の履行を爲さないこと。　　玆に履行を爲さないとは、履行遲滯を意味する。一部不履行の場合には、原則として不履行の部分についてのみ解除權が發生するにすぎない。然し、一部不履行のために契約を爲した目的が達せられない場合には、契約全部について解除權が發生する。

(ロ)　債權者が相當の期間を定めて履行の催告を爲したこと。　　履行期の定なき債務について、債權者が相當の期間を定めて附遲滯の催告を爲したときは(四一二條三項)、其後更に第五四一條による催告を爲すの要がない(大正六・六・二七、大正一〇・六・三〇、大正一三・五・二七大判)。此催告には相當の期間を定めることを要するが、債權者の指定した期間が相當の期間より短いときにも、催告は無效ではなく、當然相當の期間まで延長される。又、債權者は期間を特定せずに、相當

期間內に履行すべしとの催告を爲してもよい（昭和二・二・二大判）。尙、何等の期間の定なくとも、催告と解除權の行使との間に相當の期間が經過して居れば、其解除權の行使は有效であると解してよい。催告には解除を爲すべき旨の表示を必要としない。催告に於て示した債權額が、實際の債權額に超過する過大な催告であつても、債權の同一性を認識し得る限り、催告は實際の債權額の範圍に於て有效である（大正二・一二・二二、昭和二・三・二二大判、昭和四・六・五大判新聞三〇三五號、昭和七・七・一四大判新聞三四四九號、昭和九・四・六大判新聞三六八六號）。

（ハ）　債務者が催告期間內に履行を爲さないこと。　單に債務者が催告期間內に履行を爲さなければ、解除權が發生する。故に雙務契約に於て、債權者は、同時履行の抗辯權を有する債務者に對し、催告期間中自己の債務の提供を繼續してゐる必要がない（昭和三・五・三一、昭和三・一〇・三〇大判）。尤も、債權者が自己の債務の履行を準備してゐなければ、若し債務者が催告期間內に債務の履行の提供を爲した場合に、債權者は自己の債務を提供し得ないこととなり、其結果債務者の遲滯は解消し、却つて債權者が受領遲滯並に自己の債務についての履行遲滯に陷ることとならう。

催告期間内に履行を爲さぬことが、債務者の責に歸すべき事由によることを要するか。一般に履行遲滯の責任を生ずるがためには、債務者に故意又は過失のあることを前提とするから（四一五條）、催告期間内に履行を爲さなかつたことが、債務者の責に歸すべからざる事由に基くときは、免責事由の發生により解除權も發生しないと解してよい（大正五・三・二三大判）。

以上の三要件が具備したときに、解除權は發生するけれども、債權者が未だ解除を爲さない間に、債務者が本來の給付と遲滯による損害賠償とを併せて提供したときには、履行遲滯は終了するから、解除權も亦消滅する（大正六・七・一、大正八・一一・二七、昭和三・五・三一大判）。

2　履行期が重要な場合　履行期が契約の内容上重要な意味を有し、履行期に履行を爲さないときは、爾後の履行が不能となるか（絶對的定期行爲）、又は履行が可能であつても債權者には無價値となる場合（相對的定期行爲）を、定期行爲といふ。定期行爲に於ても、履行期と無關係に履行不能が生じ得るけれども、第五四二條は、專ら履行期に履行なきことによつて履行不能となる場合の解除權の發生要件について規定した。卽ち、定期行爲の場合に於て、債務者が履行期に其責に歸すべき事由によつて履行を爲さぬときは、債權者は、其後の履行を認容しない限り、催告を爲さず直ちに解除を爲すことが出來る。一旦解除權が發生した以上、其後の履行の提供を債權者が履行として認容しない限り、解除權は消滅しない。

二　履行不能による解除權

履行の全部又は一部が債務者の責に歸すべき事由により不能となつたときは、債權者は履行期の到來を俟たず直ちに全部又は一部の契約を解除することが出來る（五四三條）。債務者が豫め履行を拒絕した場合に於ても、本條により債權者は履行期の到來を俟たず直ちに解除し得ると解してよい。

三　事情變更による解除權

契約成立後、當事者の豫想しない社會的若くは經濟的な事情の變更によつて、本來の給付を實現せしめることが著しく不妥當となつたときは、事情變更の原則により、當事者の一方は契約內容の變更を請求するか、又は直ちに其契約を解除することが出來る。

四　不完全履行による解除權

不完全履行の追完が可能な場合には、債權者は第五四一條により、其追完を催告し、追完を爲さないときは、契約の一部又は全部を解除し得る。反之、追完の不能な場合には、第五四三條により、債權者は直ちに契約の一部又は全部の解除を爲し得る。

第三款　解除權の行使

解除權の行使は形成權の行使であるから、相手方に對する意思表示によつてこれを爲す(五四〇條一項)。形成權の行使には原則として條件を附し得ないけれども、一定期間內に履行しなければ解除するといふが如き條件は、相手方を不當に拘束しないから、これを認めてもよい。一旦解除の意思表示を爲したときには、これを撤回し得ない(五四〇條二項)。當事者の一方が數人ある場合には、全員より又は全員に對して爲さねばならぬ(五四四條一項)。

第四款　解除の效果

解除は債權契約の效力を遡及して消滅せしめる作用を有してゐるから、解除が爲されたときは、契約が締結されなかつたと同一の狀態に復歸されねばならぬ。故に未だ何等の給付が爲されてゐない間に解除された場合は、雙方の債權債務は消滅し、單に解除權者が契約は存續し完全に履行されると信じたことによつて蒙つた損害の賠償問題が殘るのみである。反之、當事者の一方又は雙方が給付を爲した場合には、契約締結前の狀態に戻すがために、當事者間に原狀囘復の問題が生じて來る。

一　原狀囘復義務

當事者が契約に基いて爲した給付は、解除の結果法律上の原因を失ふこととなるから、不當利得返還制度に基き、受領者はそれを給付者に返還せねばならぬ理である。然し、不當利得返還制度は、受益者の不當な利得を返還せしめることを主眼とし、常に受益者の財產狀態を標準として返還の範圍を決定する。反之、解除は債權契約の效力を遡及して消滅せしめるものであるから、給付が爲された當時の狀態を基準として、其當時の狀態に給付者の財產狀態を復歸せしめねばならぬ。そこで第五四五條は、給付を爲さなかつたと同一の狀態に戻すといふ意味で、受益者に原狀囘復義務を認めた。

斯の如く契約の解除は、當事者間に原狀回復義務を發生せしめるのみであり、當然に原狀回復が生ずるのではない。原狀回復義務の內容は、給付の種類及び性質によつて異る。

1 債務の履行として權利が設定又は移轉された場合には、權利の取得者は其權利を給付者に返還し、又は消滅せしめる債務を負ふ。

2 給付された物が滅失其他の事由により原物を返還し得ない場合には、其物が代替物であれば、同種同等同量の物を返還せねばならぬ。若し不代替物であれば、給付當時に於ける其物の價格を金錢に見積つて返還せねばならぬ。

3 金錢が給付されたときは、受領の時からの利息を附して返還せねばならぬ(五四五條二項)。

4 給付により受けた物に果實を生じたときには、給付受領者は其果實若くは其價格を返還せねばならぬ。

第五四五條第一項但書は、契約の解除は「第三者ノ權利ヲ害スルコトヲ得ス」と規定してゐるけれども、解除の效果が債權的である以上、其效果が第三者に及ばないのは當然である。然し、解除された契約自體から生じた債權は、其契約が解除されることにより當然消滅するから、其債權の讓受人又は其債權を目的とする質權者は、解除の結果債權又は質權を失ふ。故に本條但書は、解除せらるべき契約自體から生ずる債權はこれを含まないと解さねばならぬ。

二　損害賠償義務

第五四五條第三項は、「解除權ノ行使ハ損害賠償ノ請求ヲ妨ケス」と規定してゐる。此損害賠償の性質は、債務不履行を原因とするものではなく、解除權者が契約は解除されずに存續し、履行されると信じたことによつて蒙つた損害の賠償である。卽ち、本項は、解除權者が斯る損害の賠償を解除の原因を與へた不履行者に對して請求し得ることを認めたものである。故に從來の擔保は此損害賠償債務を擔保しない。

解除の結果雙方の當事者が互に原狀回復其他損害賠償債務を負擔するときは、民法は公平の立場から、其間に同時履行の抗辯權に關する第五三三條を準用すると規定した（五四六條）。

第五款　解除權の消滅

解除權は次の事由によつて消滅する。

1　消滅時效　解除權は形成權であるから、其消滅時效の期間は二十年であるが(一六七條二項)、解除權の對象たる契約上の債權が時效に罹れば解除權も消滅する。

2　拋棄

3　存續期間の經過　存續期間の定なきときは、相手方は相當の期間を定めて催告し其期間內に解除の意思表示なきときは、解除權は消滅する(五四七條)。

4　解除權者による返還物の著しき毀損又は返還不能の招來若くは返還物の加工又は改造　解除權者又は將來解除權を取得し得べき客觀的可能性を有する者が、契約に基く債務の履行として給付された物、卽ち解除の結果相手方に返還すべき物を、故意又は過失により著しく毀損し、又は滅失・紛失・他人への讓渡によつて返還を不能ならしめたとき、又は其物を加工若くは改造し、他の種類の物に變じたときは、解除權は消滅する(五四八條一項)。

5　債務不履行を原因とする解除權は、不履行の消滅によつて消滅する。

6　當事者の一方が數人ある場合に、解除權が其當事者の一人について消滅すれば、他の者についても亦消滅する（五四四條二項）。尤も、當事者はこれと異つた特約を爲し得る。

第五節　債權契約の典型

第一款　總　説

我民法は、債權契約を贈與・賣買・交換・消費貸借・使用貸借・賃貸借・雇傭・請負・委任・寄託・組合・終身定期金・和解の十三種の典型に區別してゐる。然し、社會生活の複雜化に伴ひ、此典型に當て嵌まらない新な契約の定型が創設されつゝある。又、假令此典型に當て嵌まるものと思はれる契約に於ても、其具體的內容を見れば、或は賣買の中に贈與の分子が附加され、或は貸借の中に雇傭の分子が混合して居り、純粹な典型契約は寧ろ少い。債權契約の典型は、物權契約及び身分法上の契約の典型と異り、例示的な意味しか有してゐないから、斯ることは、債權契約の型態上當然といはねばならぬ。

民法所定の典型契約は、種々の見方から分類することが出來る。其主要な分類は、

1　雙務契約と片務契約　これは、當事者の雙方が對價的債務を負ふか否かによる區別である。贈與・消費貸借・使用貸借・無償委任・無償寄託・無償の終身定期金は片務契約であるが、其他の契約は雙務契約である。

2　諾成契約と要物契約　これは、契約が當事者の合意のみによつて成立するか、又は合意の外に物の交付を必要とするかによる區別である。消費貸借・使用貸借・寄託は要物契約であるが、其他の契約は諾成契約である。然し、近時要物性を物的にでなく、經濟價値的に捉へようとする傾向が強いから、要物契約の存在價値は次第に失はれつつある。

3　有償契約と無償契約　これは、雙方の給付が互に對價的に條件附けられてゐるか否かによる區別である。賣買は有償契約の代表であり、其他交換・利息附消費貸借・賃貸借・雇傭・請負・組合・和解・有償委任・有償寄託がこれに屬する。反之、贈與は無償契約の代表であり、其他無利息消費貸借・使用貸借・無償委任・無償寄託がこれに屬する。然し、無償契約は現代に於て殆ど意義を有しない。卽ち、贈與は多く現實贈與であり、債權關係を發生せしめない。又、取引の實際に於ては、委任・寄託・消費貸借は何れも有償である。故に有償契約が債權契約の基本的なものといひ得る。

4　一時的債權契約と繼續的債權契約　これは、給付が或時期に實現するか、或は或期間を通じて實現するかによる區別である。贈與・賣買・請負・和解等は原則として一時的債權契約である。反之、消費貸借・使用貸借・賃貸借・雇傭・委任・寄託・終身定期金等は繼續的債權契約である。然し、贈與に於ても定期贈與、賣買に於ても繼續的供給契約は、繼續的債權契約であり、又請負も繼續的債權契約たり得ることがある。

5　交換的機能の債權契約と支配的機能の債權契約　これは、現代に於ける債權契約の機能より見た區別である。前者の代表的なものは賣買であるが、交換・請負・和解・有償委任・有償寄託・組合もこれに屬する。反之、消費貸借・使用貸借・賃貸借・雇傭は後者に屬する。これは更に、物を支配する債權契約と人を支配する債權契約とに分れる。物の使用收益を目的とする使用貸借・賃貸借は前者に屬し、雇傭契約は後者に屬する。前者は物權法へ、後者は企業組織法へと進みつつある。

交換的機能の債權契約では、債權者は給付を一時的に受領することを目的としてゐるから、其契約は多く一時的債權契約である。反之、支配的機能を有する債權契約では、一定の狀態の維持について利益を有してゐるから、其契約は多く繼續的債權契約である。

第二款 贈與

一 贈與の性質

贈與とは、當事者の一方（贈與者）が財產を無償にて相手方（受贈者）に與へることを內容とする契約である（五四九條）。贈與契約と同時に給付行爲を爲す所謂現實贈與は、無償にて財產上の出捐を爲す物權契約である。

二 贈與の效力

贈與契約の效力は、贈與者が受贈者に一定の財產を給付すべき債務を負擔することにある。反之、現實贈與に於ては、直ちに財產權が移轉する。

贈與の目的が特定の物又は權利であつても、擔保責任は有償契約について生ずる效果であるから、無償契約である贈與に於て、贈與者は目的たる物又は權利の瑕疵若くは欠缺につき責任を負はない(五五一條一項)。但、特約のある場合又は贈與者が其瑕疵又は欠缺を知りながらこれを受贈者に告げなかつた場合には此限でない(五五一條一項但書)。尤も、擔保責任に關する規定は善意の相手方保護の規定であるから、受贈者が惡意である場合には、贈與者は責任を負はぬと解してよい。尚、負擔附贈與も無償契約であるけれども、單純な贈與と異り、有償契約に類似してゐるから、民法は、贈與者は其負擔の限度に於て賣主と同じく擔保の責に任ずると規定した(五五一條二項)。

三　贈與の取消

贈與の性質上、贈與の意思表示の確實性を期し難い場合に生ずる紛爭を豫防せんがために、民法は、書面によらざる贈與を各當事者に於て取消し得ると規定した(五五〇條)。書面による贈與とは、贈與者の贈與の意思が書面上明確なることを意味し、贈與契約又は受贈者の受諾の意思表示が書面によることを意味しない(明治四〇・五・六大判)。又、其書面は契約成立の時に作成されたものでなくともよい(大正五・九・二二大判)。尚、贈與者が履行を爲したときには、それによつて贈與の意思が明確に實現されたのであるから、民法は、履行の終つた部分については取消し得ないと規定した（五五〇條但書）。物の引渡とか、債權證書又は權利證の引渡とか、登記又は登錄とかがあれば、履行が終つたといひ得るのであつて、必ずしも對抗要件の具備を要しない（明治四三・一〇・一〇、大正九・六・一七、昭和六・五・一大判）。

受贈者が重大な忘恩行爲を爲しながら、贈與者に對し贈與契約上の義務の履行を請求することが、信義則に反すると考へられる場合には、贈與者は其請求を拒否し得ると解してよい。又、贈與者の財產狀態が著しく惡化し、贈與義務の强要が不妥當と考へられる場合には、事情變更の原則により、贈與者は贈與契約を解除し得ると解してよい。

四　特殊の贈與

1　負擔附贈與　これは受贈者が贈與者又は第三者に對し一定の給付を爲すべき債務を附加する贈與である。其負擔の價値は贈與の價値よりも小なることを要する。これは雙務契約に類似してゐるから、贈與の規定の外、雙務契約に關する規定が準用される（五五三條）。

2　定期贈與　これは一定の時期每に一定の給付を爲すべき贈與である。定期贈與は當事者間の人的關係に基くことが多いから、民法は、存續期間の定があると否とを問はず贈與者又は受贈者の死亡によつて效力を失ふと規定した（五五二條）。

3　死因贈與　これは贈與者の死亡によつて效力を生ずる贈與であり、遺贈に似てゐるから、遺贈に關する規定が其性質の許す限り準用される（五五四條）。

4　混合贈與　これは、廉價賣買によつて贈與を爲す場合の如く、賣買と贈與との混合契約である。

第三款　賣　買

第一項　賣買の性質

賣買は、當事者の一方（賣主）が或財産權を相手方（買主）に移轉し、相手方がこれに對し代金を支拂ふことを目的とする契約である（五五五條）。賣買は有償契約の代表であるから、賣買に關する規定は性質の許す限り他の有償契約に準用される（五五九條）。特定物を契約の成立と同時に給付して其代金を受領する賣買、卽ち現實賣買は現實贈與と同樣に物權契約である。然し、現實賣買も有償契約であるから、擔保責任に關する賣買の規定の適用がある。

第二項　賣買の成立

賣買の成立に關し、民法は、二三の特則を設けてゐる。

一　賣買一方の豫約

賣買の豫約は、本契約たる賣買契約を締結することを内容とする債權契約である。これには、當事者雙方が本契約を締結すべき債務を負擔する雙務豫約と、當事者の一方のみが其債務を負擔する片務豫約とがある。何れの場合にも、豫約債務者が相手方の意思表示に對し承諾の意思表示を爲すことによつて、本契約は成立するのであるが、民法は、片務豫約につき特則を設けた。即ち、豫約義務者の承諾の意思表示を必要とせず、豫約權利者が賣買の完結の意思表示を爲した時に、賣買は直ちに成立することとした(五五六條一項)。故に茲に所謂賣買完結の意思表示は單なる條件の成就ではなく、形成權の行使である。尙、此場合豫約者は相當の期間を定めて催告し、若し相手方が其期間内に確答を爲さないときは、豫約は其效力を失ひ（五五六條二項）、賣買完結權も消滅する。

二　手　附

手附とは、賣買契約の際に、當事者の一方より相手方に對して交付する金錢其他の代替物である。手附には種々の意味があるけれども、民法は、契約の解釋によつて不明な場合には解約手附であるとした（五五七條一項）。卽ち、當事者の一方が契約の履行に着手するまでの間に、手附を交付した者は、手附の返還請求權を抛棄して、契約を解除することが出來る。これを「手附流し」といふ。又、手附の交付を受けた者は、受領した手附を償還し且手附と同額の金錢其他の物を提供して、契約を解除することが出來る。これを「手附倍戻し」といふ。「手附流し」又は「手附倍戻し」は、契約解除による損害の補償の性質を有してゐるから、これ以外に損害賠償請求權は成立しない（五五七條二項）。反之、當事者が契約を解除せず、これを履行した場合には、手附の交付者は手附の返還を請求し得る。然し、手附が金錢である場合には、反對の意思表示なき限り、代金の內金として算入されるのが取引上の慣習である（大正一〇・二・一九大判）。

三　賣買の費用

賣買の費用とは、賣買契約書の作成費用の如く、賣買契約の締結に關する費用である。賣買の費用につき別段の定なきときは、當事者雙方が平等にこれを負擔する(五五八條)。

第三項　賣買の效力

第一目　賣主の義務

第一折　財産權移轉の義務

賣主は賣買の目的たる財産權を買主に移轉すべき義務を負ふ(五五五條)。他人の物の賣買につき、第五六〇條は「賣主ハ其權利ヲ取得シテ之ヲ買主ニ移轉スル義務ヲ負フ」と規定してゐるけれども、必ずしも、賣主が一旦他人から權利を取得して、これを買主に移轉する方法によるの必要はなく、其他の方法によつても買主に權利を取得せしめればよい。

第二折　擔保責任

一　總說

特定物の賣買に於て、其契約の當初より目的たる物又は權利に瑕疵・欠缺あるときは、所謂原始的一部不能であつて、賣買契約は不能の範圍に於て無效となる。賣主はそれに對して責を負ふべき理由がない。然し、買主が其原始的一部不能について善意である場合には、完全な物又は權利の對價として代金債務を負擔する。これは有償契約の特質たる等價關係に反するから、民法は、有償契約の代表たる賣買に關し特に規定を設け、善意の買主を保護するがために、賣主に擔保責任を負はしめた。

此擔保責任の生ずるがためには、特定物の賣買でなければならぬ。判例は、種類賣買に於ても、賣主は、目的物の特定の時を標準として、瑕疵ある場合に擔保責任を負ふとしてゐる(大正一四・三・一三、昭和二・四・一五大判)。然し、種類賣買に於ては、買主が給付を受領しても、其給付に瑕疵あるときは、債務の本旨に從つた履行といふことは出來ない。從つて買主は受領した給付を返還して完全な給付を請求するか、又は其瑕疵が追完可能なときには、其追完を請求し得るのであるから、特に賣主の擔保責任を規定する必要を見ない。擔保責任は債務不履行による責任ではなく、原始的一部不能について善意の買主を保護するがための法定責任であるから、此責任は常に特定物賣買を前提としてゐる。又、此責任が問題となる場合には、錯誤に關する規定は適用されない。

擔保責任に關する規定は、補充規定であるから、特約を以て別段の定を爲すことが出來る。卽ち、

1　法定の擔保責任を排除し、又は輕減する特約は有效である。然し、賣主が擔保責任の發生原因たる事實を知りながらこれを買主に告げない場合、又は賣主が賣買の目的物の所有權を第三者に讓渡し、或は他物權又は擔保物權を第三者のために設定したことによつて擔保責任の生ずる場合には、擔保責任を排除し又は輕減する特約は無效である(五七二條)。

2　法定の擔保責任を加重する特約も有效である。斯る特約は債權の賣買について爲されることが多いから、民法は債權の賣買につき特別の規定を設けた(五六九條)。卽ち、債權の賣主が債務者の資力を擔保したときは、賣買契約の當時に於ける資力を擔保したものと推定し(五六九條一項)、辨濟期に至らざる債權の賣主が債務者の將來の資力を擔保したときは、辨濟期に於ける資力を擔保したものと推定した(五六九條二項)。

二　權利の瑕疵・欠缺に對する擔保責任（追奪擔保責任）

1　他人の權利の賣買に於ける擔保責任

（イ）　權利の全部が他人に屬する場合。　賣主が其賣却した權利を取得してこれを買主に移轉し得ない場合に擔保責任が發生する（五六一條）。此擔保責任の內容は、買主の解除權及び損害賠償請求權（五六一條）である。尙、民法は、買主に不利益を及ぼさない程度に於て、善意の賣主に解除權を與へた（五六二條）。

（ロ）　權利の一部が他人に屬する場合。　賣主が共有物を單獨にて賣却した場合の如く、賣買の目的たる權利の一部は賣主に屬してゐるが、他の一部は他人に屬するがため、賣主が權利の全部を買主に移轉し得ない場合にも、擔保責任が生ずる（五六三條）。其內容は、先づ買主の代金減額請求權（同條一項）である。買主が善意であり、且殘存部分のみでは買受けなかつたであらうと思はれる場合には、買主は契約全部を解除することが出來る（同條二項）。尙、何れの場合にも、善意の買主は損害賠償を併せて請求し得る（同條三項）。以上の代金減額請求權・解除權・損害賠償請求權は、買主が善意のときは、事實を知つた時より一年內に、惡意のときは、契約の時より一年内にこれを行使しなければならぬ(五六四條)。

2 權利不足の場合に於ける擔保責任

(イ) 物の數量が不足し又は其一部が滅失した場合。 數量を指示して賣買した物が不足なる場合、又は物の一部が契約の當時既に滅失してゐたがために、賣主が完全な物を買主に移轉し得なかつた場合に於て、買主が其不足又は滅失につき善意のときは、權利の一部が他人に屬する場合と同樣の擔保責任が生ずる(五六五條五六三條)。

(ロ) 賣買の目的たる權利が他人の權利によつて制限せられる場合。 賣買の目的物が地上權・永小作權・地役權・留置權又は質權の目的となつてゐる場合(五六六條一項)、又は目的たる不動產のために存在せりと稱した地役權が存在しなかつた場合、或は目的たる不動產につき登記した賃借權がある場合(五六六條二項)、目的たる土地の上に建物保護法の適用を受くべき登記した建物のある場合、並に借家法第一條の適用ある建物を以て賣買の目的物と爲した場合、これ等の場合は何れも買主が第三者の權利によつて對抗を受けるか、又は權利の一部が欠缺する場合であつて、買主の取得した權利に瑕疵・欠缺があるといひ得るから、民法は、買主が善意なる場合に、賣主に擔保責任を負はしめた（五六六條）。其内容は、買主が契約を爲した目的を達し得ない場合には、買主は契約を解除し、且損害賠償を請求し得る。然らざる場合には、損害賠償のみを請求し得るにすぎない（同條一項二項）。尙、此解除權又は損害賠償請求權は、買主が事實を知つた時から一年内に行使することを要する（同條三項）。

（ハ）　先取特權又は抵當權の行使により買主が買受けた物の所有權を失つた場合及び買主が自己の出捐により所有權を保存した場合。　此場合の擔保責任の内容は、前者に於ては、買主は解除權を有し（五六七條一項）、後者に於ては、出捐額の償還請求權を有する（五六七條二項）。何れの場合に於ても、買主が損害を蒙つたときは、其賠償を請求し得る（五六七條三項）。尙、本條の權利行使には、除斥期間の制限がない。

目的物に對し質權が行使された場合、又は買主が自ら出捐して其所有權を保存した場合にも本條を適用してよい。又、地上權・永小作權も抵當權の目的となるから、地上權・永小作權の買主についても、本條が適用される。

三　物の瑕疵に對する擔保責任（瑕疵擔保責任）

1　成立要件　賣買契約の當時、目的たる特定の物又は權利に隱れた瑕疵があるか、又は限定的種類債務の場合には、限定された範圍の種類物全部に隱れた瑕疵があることを要する(五七〇條)。瑕疵とは、物が取引上通常有すべきものと認められる性質を缺くか、又は賣主が特に保有すると保證した性情を缺くがために、其物の使用價値又は交換價値を減少せしめるものをいふ(昭和八・一・一四大判)。目的物自體につき存する有形的瑕疵のみならず、法律的又は經濟的の關係に於て當然期待される性情並に價値を缺く場合をも包含する。隱れた瑕疵とは、單に買主の知らなかつた瑕疵をいふのではなく、當該賣買を爲す者として通常の注意を爲すも容易に發見し得ない瑕疵をいふ。

2　擔保責任の內容　瑕疵の存するがために、買主が契約を爲した目的を達し得ないときは、買主は契約を解除し得る。尙、損害があれば其賠償を請求し得る。其他の場合には、買主は損害賠償のみを請求し得るにすぎない(五七〇條・五六六條一項)。これ等の權利は、買主が瑕疵のあることを知つた時より一年內に行使することを要する(五七〇條・五六六條三項)。

四　强制競賣に於ける擔保責任

競賣された物又は權利の全部若くは一部が他人に屬し、或は物又は權利が不足なるため競落人に於て完全な權利を取得し得ない場合に（五六一條乃至五六六條）、債務者卽ち擔保物の所有者は、競落人に對して擔保責任を負ふ（五六八條）。卽ち、競賣された目的物に權利の欠缺があるがために、競落人が完全な財產權を取得し得ないときは、競落人は契約を解除するか、又は代金の減額を請求することが出來る（五六八條一項）。此場合に於て債務者が無資力であれば、競落人は代金の配當を受けた債權者に對して、其代金の全部又は一部の返還を請求し得る（五六八條二項）。勿論其返還請求額は、債務者の無資力のために返還を受けることを得なかつた額であり、又債權者の償還義務の範圍は、配當を受けた金額を以て限度とする。尙、賣主たる債務者が目的物に欠缺あることを知りながら、これを申出でず、又は債權者がこれを知りながら隱蔽して競賣を申立てたときは、競落人は斯る惡意者に對して損害賠償の請求を爲すことが出來る（五六八條三項）。

五　擔保義務の履行と同時履行の抗辯

擔保責任に關する規定に基き賣買契約を解除した場合に生ずる相互の原狀回復義務、並に買主の代金減額請求及び損害賠償請求と賣買代金の支拂義務とが相互に對立することがある。斯る相互の義務は一個の雙務契約から生じたものでないけれども、民法は公平の見地より、相互間に同時履行の抗辯權を許した(五七一條)。

第二目　買主の義務

買主の義務は代金支拂義務であり、民法はこれに對し二三の特則を設けてゐる。卽ち、

1　代金支拂時期　　代金支拂時期につき特約又は慣習なきときは、契約の效力發生と同時に履行期にあるけれども、民法は賣買の性質に鑑み、賣買の目的物の引渡につき期限のあるときは、代金の支拂についても同一期限を附したものと推定した(五七三條)。

2　代金支拂の場所　　これについて特約又は慣習なきときは、賣主の現時の住所地となるけれども(四八四條)、民法は、代金を目的物と引換に支拂ふべきときは、目的物引渡の場所に於て支拂ふことを要すると規定した(五七四條)。

3　代金の利息　　買主が代金の支拂を遲延したときには、遲延利息を支拂はねばならぬ理である。然し、賣主は目的物を現に買主に引渡すまで目的物より生ずる果實を收取し

得るから(五七五條一項)、民法は、假令買主が代金支拂を遲延しても、現に目的物の引渡を受けるまでは、買主は代金に對する利息の支拂を爲すことを要しないと規定した(五七五條二項)。

4　代金支拂の拒絶權

(イ)　買主が買受けた權利を取得した後に、第三者より追奪され、其權利を失つたときは、賣主に對して追奪擔保の責任を問ふことが出來るけれども、賣主に資力なきときは、事實上救濟を受けることが出來ないから、民法は、事前に買主に代金支拂拒絶の抗辯權を與へて保護した。即ち、賣買の目的物に對し物權・擔保物權・登記した賃借權・買戻權等の如き買主に對抗し得る權利を主張する者があり、それがために買主が買受けた權利の全部又は一部を失ふべき虞が客觀的に存在する場合には、買主は、目的物の引渡を受けたと否とに拘らず、其危險の限度に應じて代金の全部又は一部の支拂を拒絶し得る(五七六條)。但、賣主が買主の蒙ることあるべき損害に對して相當の擔保を供したときは、買主は支拂拒絶權を有しない(五七六條但書)。

(ロ)　買主の買受けた不動産につき、先取特權・質權又は抵當權の登記あるときは、買主は何時にても滌除を爲し得る（三七八條以下）。買主が滌除を爲したときは、賣買代金中より滌除金額として擔保物權者に支拂つたものを控除し、其殘額を賣主に支拂ふべきこととなるから、民法は、買主が滌除手續を終了するまで其代金の支拂を拒絕し得ると規定した（五七七條）。然し、買主は滌除に名を借り、代金の支拂を延引するの弊が生ずるから、民法は、賣主は買主に對して遲滯なく滌除を爲すべき旨を請求し得ることとした（五七七條但書）。買主が此請求を受けたのに拘らず、滌除手續を爲さないときは、代金支拂拒絕權を失ふ。

（ハ） 買主が右の規定により代金の支拂を拒絕する場合に、賣主は買主に對し代金の供託を請求することが出來る（五七八條）。

第四項　買　戻

一　買戻の性質

買戻とは、不動産の賣買契約と同時に爲した特約に基き、賣主の留保した解除權（買戻權）の行使による賣買契約の解除である。此特約を買戻の特約といふ。これは債權擔保のために爲されることが多い。

買戻の特約は不動産の賣買についてのみ認められ、賣買契約と同時に爲すことを要する(五七九條)。此特約は賣買契約に從たる契約であるから、賣買契約が無效となり又は取消されたときは、買戻の特約も無效となる。

買戻は、賣主が賣買の代金及び契約の費用を買主に返還して爲す賣買契約の解除であるから、これより多額の金額を支拂つて買戻す場合は、買戻ではなく、再賣買である。

二　買戻の期間

當事者が買戻權の存續期間を定めたときは、十年を超えない範圍で有效であり、これより長き期間を定めたときはこれを十年に短縮する(五八〇條一項)。又、買戻につき如何なる期間を定めても、後日これを伸長することを許さない(五八〇條二項)。反之、存續期間の定なきときは、五年を以て法定の存續期間とする(五八〇條三項)。

當事者が一定期間の經過後何時にても買戻し得べきことを約した場合は、其期間の經過を俟つて初めて買戻を爲し得るから、其時より五年内に買戻を爲すことを要する(五八〇條三項)。

但、買戻の特約を爲した時より十年を經過したときは、買戻權は消滅する（大正一二・八・二大判）。買戻期間の始期を契約の時より十年後に定めた場合は、其買戻の特約は無效である。

三　買戻權の第三者に對する效力

賣買契約と同時に、卽ち目的不動產の移轉登記を爲す際に、買戻の特約を登記したときは、買戻は第三者に對しても其效力を生ずる（五八一條一項）。故に買戻の特約を登記したときは、目的不動產が第三者に移轉しても、賣主は其所有者に對し直接に買戻權を行使し、其所有權の回復を請求し得る。又、其登記後に設定された用益物權及び擔保物權は、買戻權の行使により消滅する。同樣に買戻の特約の登記後に登記された賃借權も、買戻權の行使により消滅すべき理であるけれども、賃貸借は不動產の通常の利用方法であり、賃借權を保護しなければ不動產の利用の途を阻止することになるから、民法は、登記した賃借權は其殘期一年間に限り其效力を保有すると規定した（五八一條二項）。但、賣主を害する目的を以て賃貸借を爲したときは、賃借人の權利は買戻權の行使により消滅する（五八一條二項但書）。

四　買戻權の行使

買戻權の行使は、賣主が買戻期間內に其受取つた賣買代金及び契約の費用を相手方に提供し、買戻の意思表示によつてこれを爲す(五七九條・五八三條一項)。買主が支出した登記料は契約の費用ではない。又、代金及び契約の費用以外に、必要費並に有益費を提供する特約を爲しても無效であるから(大正一五・二・二八大判)、賣主はそれを提供しなくともよい。

買戻權は一身專屬權ではないから、賣主の債權者は買戻權を代位行使することが出來る(四二三條)。然し、其結果賣主が目的不動產の所有權を回復しても、結局債權者によつて競賣に附せられることになるから、民法は、賣主の利益を害しない範圍に於て、買主保護の特則を設けた。卽ち、買主は、裁判所に於て選定した鑑定人の評價に從ひ、其不動產の現時の價格から賣主が返還すべき買戾金額を控除し、其殘額を賣主の債權者に支拂つて賣主の債務を辨濟し、尙剩餘あるときはそれを賣主に返還して、買戾權を消滅せしめることが出來る(五八二條)。

五　買戾權行使の效果

契約解除の效果は債權的であるから、解除の一種たる買戾の效果も亦債權的であつて、當事者間に原狀回復義務を生ずるにすぎない。尙、民法は、別段の意思表示なき限り、不動產の果實と代金の利息とはこれを相殺したものと看做してゐる(五七九條但書)。

買主及び轉得者が目的不動產に必要費及び有益費を支出したときは、買戻權者は第一九六條の規定に從ひこれを償還せねばならぬ(五八三條二項)。但、有益費については、裁判所は、買戻權者の請求により、これに相當の猶豫期間を許與し得る(五八三條二項但書)。

六 共有不動產の持分の買戻

不動產が共有者間に分割されたときには、買戻權者は、買主が分割により現に受け又は受くべき不動產の部分に對して買戻を爲し得る。又、價格分割を爲すがために、不動產が競賣され、第三者が其競落人となつたときは、買戻權者は、買主が分配を受け又は受くべき代價に對して買戻を爲し得る(五八四條)。但、買戻權者に通知せずに、分割又は競賣を爲したときは、これを以て買戻權者に對抗し得ないから(五八四條但書)、買戻權者は買戻權を行使して賣却した持分權の返還を請求し得る。

不動產競賣の結果、買主が競落人となつた場合に、共有物の分割が其買主からの請求に基いてゐるときには、買戻權者は、通常の買戻の手續により、自己の賣却した持分權を回復して買主と共に共有關係を作るか、又は買主の支出した競買代金及び第五八三條に揭げた費用を返還して不動產全部の買戻を爲すか、何れかを選擇し得る（五八五條一項）。反之、若し買主以外の共有者が分割請求をしたときには、買戾權者は必ず不動產全部の買戻を爲さねばならぬのであつて、自己の賣却した持分權のみの買戻を許さない（五八五條二項）。

第五項　特殊の賣買

一　見本賣買

見本賣買とは、見本により賣買の目的物の性質を確保する賣買である。賣主の給付した物が見本と適合するや否やは、取引通念によつて判斷しなければならぬ。賣主の給付した物が見本に適合しない場合に、買主が如何なる權利を有するやは、特定物の賣買と不特定物の賣買とによつて異る。特定物賣買の場合には、買主は見本に適合しないことを理由として目的物の受領を拒絕し得ない（大正一五・五・二四大判）。然し、見本に適合しないことは瑕疵といひ得るから、賣主は瑕疵擔保責任を負ふ（昭和三・一二・一二大判）。又、不特定物賣買の場合には、買主は見本に適合しないことを理由として受領を拒絶し得る。反之、買主が目的物の受領後に、見本に適合しないことを發見したときは、其履行は不完全履行であり、賣主は瑕疵ある給付を爲した場合の責任を負ふ（債權總論九五頁參照）。

二　試驗賣買

試驗賣買又は試味賣買とは、買主が其目的物につき自己の希望通りの性質を有し、一定の目的に役立つか否かを試驗した上で、賣買契約を締結せんとする場合である。これは賣買一方の豫約（五五六條）であり、買主が意に適したか否かの表示を爲す時期について定のないときには、第五五六條第二項が適用される。

三　割賦拂賣買

割賦拂賣買とは、目的物は即時に買主に引渡されるが、代金は月賦又は年賦に分割して支拂はれる賣買であり、現今廣く行はれてゐる。此賣買に於ては、契約の成立と同時に目的物を買主に引渡すのであるから、賣主は代金支拂の確保のために、自己に有利な種々の約款を定めてゐる。例へば、代金全部の支拂あるまで目的物の所有權は賣主にこれを留保するとか、目的物の公租公課は買主の負擔とするとか、買主が割賦金の支拂を怠れば割賦拂の利益を失ひ、殘額を一時に支拂ふとか、一回の不拂により契約は當然に效力を失ひ、買主は目的物を賣主に返還し、既に支拂つた割賦金は目的物の使用料となつて其返還を請求し得ないとか、の特約が存する。これ等の特約は、公序良俗に反しない限り、有效である（昭和九・七・一九大刑判）。

四　繼續的供給契約

繼續的供給契約とは、一定又は不定の期間、當事者の一方が一定の種類・品質・數量を有する物の部分給付を繼續的に爲し、相手方がこれに對して代金を支拂ふことを約する契約である。瓦斯・電氣・水道・新聞・牛乳の供給等此契約による場合が多い。

各部分給付は必ずしも同一の內容たることを要しない。又、代金は部分給付の爲される毎に支拂はれることを要しない。日・月・年を標準として代金の支拂を定めることが出來る。日・月・年を標準として既に履行された部分給付に對し、それに相當する代金を支拂ふべき約束ある場合に、各當事者は前の時期の部分給付の不履行を理由として、次の時期の部分給付につき同時履行の抗辯權を有すると解してよい。

時間的に分離された部分給付は、全體の繼續的供給契約から見ると一部給付に當たる。從つて或時期に於ける部分給付につき生じた履行遲滯・履行不能・不完全履行は、全體の契約から見ると、一部の履行遲滯・履行不能・不完全履行となるにすぎない。故に或時期又は或期間内の部分給付が不能となつても、再び部分給付が可能となり得る限り、全體の契約は無效とならぬ。唯、部分給付の不履行又は不能のために、買主に於て契約を締結した目的が達せられなくなつたときは、買主は直ちに契約を解約することが出來るにすぎない（大正一四・二・一九大判）。又、此契約は繼續性を有してゐるから、買主が營業を廢止若くは變更し又は轉居した場合の如く、契約締結當時の事情に著しき變更を生じた場合には、直ちに解約を爲し得る。

第四款　交　換

交換とは、當事者が互に金錢の所有權に非ざる財產權の移轉を約することによつて成立する契約である（五八六條一項）。これは賣買に類似してゐるから、總て賣買の規定が準用される。當事者の一方が他の財產權と共に金錢の所有權の移轉を約する場合がある。此金錢を補足金といふ。補足金については、賣買の代金に關する規定が準用される（五八六條二項）。

第五款　消費貸借

一　消費貸借の性質

消費貸借とは、當事者の一方が種類・品等及び數量の同じき物を以て返還することを約し、相手方から金錢其他の物を受取ることによつて成立する契約である（五八七條）。卽ち、此契約は要物契約であり、且片務契約である。

貸主が、金錢其他の代替物を交付するか、或は現物の交付と同一な經濟上の利益を借主に與へるときに（昭和一〇・五・八、昭和一一・一〇・二三大判）、消費貸借契約は成立する。故に郵便爲替又は小切手を交付することによつても、それが不渡とならぬ限り、消費貸借は成立する（昭和六・六・二三大判新聞三三号〇二）。又、貸主が金錢貸與の方法として約束手形を振出し、借主が其手形の割引により金錢を受取つたときも、其手形金額について消費貸借が成立する（大正一四・九・二四大判）。

二　消費貸借の豫約　消費貸借は、當事者間の信任關係を基礎とする契約であるから、民法は、消費貸借の豫約は爾後當事者の一方が破産宣告を受けたときは其效力を失ふ、と規定した（五八九條）。尙豫約上の借主の財産狀態が惡化して返還を困難ならしめるに至つたときは、豫約上の貸主は、事情變更の原則により、其豫約を解除し得ると解してよい。

三　消費貸借の效力

1　貸主の擔保責任　利息附消費貸借は有償契約であるから、賣買に關する擔保責任の規定が適用される。然し、消費貸借の目的物は代替物であるから、目的物に瑕疵ある場合につき、民法は特則を設け、瑕疵擔保責任の內容を代物請求權及び損害賠償請求權に限つた（五九〇條一項）。反之、無利息消費貸借に於ては、贈與者と同じく（五五一條）、貸主は擔保責任を負はない。然し民法は、貸主が瑕疵あることを知つてこれを借主に告げなかつたときは、利

息附の場合と同樣の擔保責任を負ふこととした（五九〇條二項但書）

2　借主の返還義務　借主は貸主から受取つた物と同種同等同量の物を返還する義務を負ふ（五八七條）。故に受取つた物に瑕疵があり又は數量不足なるときは、それと同種同等同量の物を返還すればよい。然し、受取つた物と同じ瑕疵ある物を見出すことは困難であるから、民法は、借主は現物の返還に代へ、返還時期に於ける其物の履行地の價額を返還して義務を免れ得るとした（五九〇條二項）。又、瑕疵なき物についても、借主が返還の時期に同一物を取得して返還し得ないときは、返還時期に於ける物の價額を償還することを要する（五九二條）。但、目的たる特殊の通貨が强制通用力を失つたときは、他の通貨を以て辨濟しなければならぬ（五九二條但書四〇二條二項）。

返還時期につき當事者間に定がないときは、消費貸借の成立と同時に履行期にあるとひ得る（四一二條三項）。然し、目的物の消費又は處分を目的とする消費貸借上の債務が、契約の成立と同時に履行期が到來して借主が遲滯に陷ると爲すことは、消費貸借の目的に反する。そこで民法は、貸主が相當の期間を定めて催告をしなければ、履行期は到來しないと規定した（五九一條一項）。故に借主が此催告期間内に返還しない場合に履行遲滯の效果が生ずる。尚、返還時期につき定なきときは、利息附たると否とを問はず、借主は何時にても返還することが出來る（五九一條二項）。

四　準消費貸借

1　意義及び性質　準消費貸借とは、賣買の代金債務を借用證書に書替へる場合の如く、金錢其他の物を給付する義務を負ふ者ある場合に於て、當事者が其物を以て消費貸借の目的と爲すことを約するによつて成立する消費貸借である（五八八條）。民法は、債務原因の變更による更改契約を認めてゐないが、本條は、既存の債務原因を變更して消費貸借を成立せしめることを認めたものである。卽ち、準消費貸借は債務原因の變更契約である。從つて既存債務が不存在である場合には、準消費貸借は成立しない。

2　效力　準消費貸借を債務原因の變更契約と解する以上、既存債務は其同一性を維持しつつ消費貸借上の債務に轉換するといはねばならぬ。故に當事者が特に既存債務を消滅せしめて新なる債務を發生せしめる合意を爲さない限り、既存債務に存した擔保物權又は抗辯權は消滅しない。

第六款　使用貸借

一　使用貸借の性質

使用貸借とは、當事者の一方が相手方より特定物を受取り、無償にて使用收益を爲した後、其物を返還すべきことを約する契約である（五九三條）。卽ち、此契約は要物・片務且無償の契約であり、借主をして目的物の使用收益を爲さしめることを目的としてゐる。

二　使用貸借の效力

1　借主の借用物使用收益權　借主の使用收益は契約又は目的物の性質により定まつた用法に從ひこれを爲すことを要する（五九四條一項）。借主が若しこれに違反したときは、貸主は直ちに解約を爲すことが出來る（五九四條三項）。尙、貸主は此場合不法行爲による損害賠償又は不當利得の返還を請求することが出來る。但、損害賠償請求權は、貸主が物の返還を受けた時から一年内に、これを行使することを要する（六〇〇條）。

借主は貸主の承諾がなければ、第三者をして借用物の使用收益を爲さしめることを得ない(五九四條二項)。これに反したときは、貸主は解約を爲し得る(五九四條三項)。又、借主が借用物を第三者に使用收益せしめる行爲が同時に不法行爲又は不當利得の要件を具備するときは、貸主は解約した上に、不法行爲による損害賠償若くは不當利得の返還の請求を爲すことが出來る。但、損害賠償請求權は第六〇〇條の除斥期間に服する。

2 借主の借用物保管義務　借主は借用物を返還するまで、善良な管理者の注意を以てこれを保管する　とを要し、且其通常の必要費を負擔する(五九五條一項)。

3 借主の借用物返還義務　借主が借用物に附屬せしめた物は、これを收去して返還することを要する(五九八條)。借主が收去しないときは、貸主に於て、借主の承諾なしに收去することが出來る(昭和九・六・五大判)。

返還の時期につき定あるときはこれに從ふ(五九七條一項)。返還時期の定なきときは、借主は契約に定めた目的に從ひ、使用收益を終つた時に返還を爲すことを要する(五九七條二項)。借主が使用收益を終らなくても、使用收益を爲すに足るべき期間を經過したときには、貸主は何時にても返還を請求し得る（五九七條二項但書）。又、當事者が返還の時期又は使用收益の目的を定めなかつたときは、貸主は何時にても返還を請求し得る（五九七條三項）。

4　貸主の義務　貸主は、借主の支出した臨時の必要費及び有益費の償還義務を負ふ（五九五條二項）。尚、使用貸借は無償契約であるから、目的物の瑕疵又は欠缺に對する擔保責任については、贈與に關する第五五一條が準用される（五九六條）。

三　使用貸借の終了

使用貸借に特殊な終了原因は、期間の滿了（五九七條一項・二項）・解約（五九四條三項）・目的物の返還請求（五九七條二項但書・三項）・借主の死亡（五九九條）である。

第七款　賃貸借

第一項　賃貸借の性質

賃貸借とは、當事者の一方（貸主）が相手方（借主）に或物の使用收益を許し、相手方がこれに對して賃料を支拂ふことを約する契約である（六〇一條）。賃貸借は、物の所有權を相手方に移轉するのではなく、單に物の使用收益權を相手方に許與するにすぎない。これがために、賃貸人は先づ目的物の利用可能の狀態を賃借人のために作出し、且契約の期間中其狀態を維持すべき義務を負ふ。賃貸借は使用貸借と異り、雙務・有償且諾成契約である。

第二項　賃貸借の期間

一　一般的制限

民法は、賃貸借の存續期間につき二十年を以て最長期とし、且期間の更新を許してゐる（六〇四條）。然し、借地法施行地域に於ては、建物の所有を目的とする土地の賃貸借の存續期間につき、同法第二條の適用があるから、堅固の建物については六十年、其他の建物については三十年が最長期である。尙、堅固の建物については三十年、其他の建物については二十年を以て借地權の最短期としてゐる（同法二條二項）。故に期間を更新する場合に於ても、それより長き期間を定めない限り、借地權の存續期間は更新の時より起算して右の最短期間による（同法二五條）。但、建物が期間滿了前に朽廢したときは、借地權はこれによつて消滅する（同法二條一項但書・五條一項但書）。建物の朽廢したときとは、借地上の建物が自然の推移により朽廢し、又は當然朽廢すべかりし時期に達したときをいふ（昭和九・一〇・一五大判）。

二　處分の能力又は權限を有せざる者についての制限

賃貸借は管理行爲であるから、管理の能力又は權限を有してゐる限り、處分能力がなくとも賃貸借を爲すことが出來る。然し、長期間の賃貸借を爲すことは、長期に亙り賃借人に目的物の支配權を與へることであり、實質上處分行爲を爲したと同樣の結果になる。故に民法は、處分の能力又は權限を有せざる者が賃貸借を爲す場合に於ける其期間につき制限を設けた（六〇二條）。尤も、其期間はこれを更新することが出來る（六〇三條）。

第三項　賃貸借の效力

第一目　賃借人の權利

一　目的物に對する使用收益權（賃借權）

賃貸人が目的物の利用可能の狀態を作出したときには、賃借人は契約の本旨に從つて目的物を使用收益する權利を取得する。これを賃借權といふ。賃借權は目的物に對する支配權であるから、若し第三者が賃借人の使用收益を妨げ、又は妨げんとする虞あるときは、賃借人は賃借權に基き妨害の排除又は豫防を請求し得る(大正一〇・一〇・一五、大正一二・四・一四大判)。

賃借權は債權であるから、特別の規定なき限り、賃借人は賃借權を以て、賃借物上に所有權・地上權・永小作權・抵當權等を取得した者に對抗することを得ない。故に又、賃貸人が賃借物の所有權を第三者に讓渡した場合には、「賣買は賃貸借を破る」こととなり、讓渡人・讓受人間に賃貸借契約を承繼すべき合意があり且賃借人に於てこれを承認しない限り、賃借人は賃借物の讓受人に對し賃借權を以て對抗することを得ない(大正九・一〇・四大判)。但、賃借人は、賃貸人に對し利用可能の狀態を維持する義務に違反したことを理由として、損害賠償を請求し得る。然し、近時賃借權の物權化的傾向が強く、各國は種々の賃借人保護法を設けてゐるが、我國に於ても、不動産賃借權の登記制度・建物保護法・借家法等により賃借權は對抗力を有することとなつてゐる。卽ち、

1　不動產賃借權はこれを登記すれば、爾後其不動產について物權を取得した者に對しても其效力を生ずる（六〇五條）。即ち、不動產賃借權が登記された場合に、爾後其不動產が讓渡されたときは、讓受人は當然賃貸人たる地位を承繼し、賃貸借關係は新所有者と賃借人との間に存續することとなり、舊所有者は賃貸借關係より當然離脫するに至る（大正一〇・五・三〇大判）。

2　建物の所有を目的とする土地の賃借權により借地人が其土地の上に登記した建物を有するときは、賃借權自身の登記がなくとも、これを以て第三者に對抗することが出來る（建物保護法一條一項）。然し、本法による賃借權の對抗力は建物の登記のあつた時より生ずるのであつて、賃貸借契約の成立の時に遡らないから（大正九・一二・八大判）、土地の所有權の移轉登記前に建物の保存又は移轉の登記あることを要する（昭和七・三・三〇大判新聞三三九六號）。但、建物が土地の賃貸借期間滿了前に滅失又は朽廢したときは、賃借人は其後の賃貸借期間を以て第三者に對抗することを得ない（同法一條二項）。

3　借家法施行地域に於ては、建物の引渡が賃貸借の登記に代る公示方法となる（同法一條一項）。故に建物が讓渡された場合には、讓受人は當然賃貸人たる地位を承繼する（昭和六・四・一五大判）。

二　借賃減額請求權

1　不可抗力による收益の減少　田畑の賃貸借に於けるが如く、收益を目的とする土地の賃借人が不可抗力により借賃より少き收益を得たときは、其收益額に至るまで借賃の減額を請求することが出來る。然し、宅地の賃貸借については、借賃減額を請求し得ない(六〇九條)。本條に所謂收益とは、土地の收益のために支出した費用を控除したものであり、其收益が借賃より少きか否かは、借賃の生ずる年度又は期間の全部を通じた收益が借賃より少きか否かにより決すべきである。又、收益が借賃より少きこと明瞭となれば、何時にても減額の請求を爲し得る。

2　賃借人の過失によらざる目的物の一部滅失　賃借物の一部が賃借人の過失によらずに滅失したときは、賃借人は其滅失した部分の割合に應じて借賃の減額を請求することが出來る(六一一條一項)。滅失した部分と減額される借賃との割合は、滅失した部分の範圍によるのではなく、其利用價値によるのである。

3　事情の變更　借賃が公租公課其他の負擔の減少、又は目的物の價格の低下、若くは近隣の借賃に比し不相當となつたときは、賃借人は將來に向つて借賃の減額を請求し得ると解してよい。此ことは、借地法(一二條)借家法(七條)に明記されてゐる。

第二目　賃借人の義務

1　借賃支拂義務　賃貸人が賃借人のために目的物を利用し得る狀態においたときは賃借人は借賃を支拂はねばならぬ。借賃の支拂時期につき當事者間に特約なきときは、第六一四條の規定による。

2　使用收益の方法に關する義務　賃借人は、契約又は目的物の性質上定まつた用法に從ひ、使用收益を爲すことを要する(六一六條・五九四條一項)。賃借人が此範圍を超えて使用收益したときは、賃貸人は其停止を請求し得ると共に、それにより賃借人の得た利得の返還を請求することが出來る。然し、第六一六條は第五九四條第三項を準用してゐないから、賃貸人はそれを理由として賃貸借契約を解除することは出來ない。

3　賃借物保管義務　賃借人は、賃貸借終了後賃借物の返還を爲すまで、善良な管理者の注意を以て目的物を保管せねばならぬ。賃貸人が目的物の保存に必要な行爲を爲さんとするときには、賃借人はこれを拒むことを得ない(六〇六條二項)。

4　通知義務　賃借物が修繕を要し、又は賃借物につき權利を主張する者があるときには、賃借人は遲滯なくそれを賃貸人に通知することを要する(六一五條)。但、賃貸人が既にこれ等の事實を知つてゐる場合には、通知を爲す必要がない(六一五條但書)。

5　賃借物返還義務　賃借人は賃貸借終了後直ちに目的物を賃貸人に返還せねばならぬ。返還につき特約なき限り、賃借物を原狀に復して返還せねばならぬから、賃借人が賃借物に附屬せしめた物はこれを收去すべき權利義務を有する。故に若し貸借人が收去しないときは、賃貸人は任意に收去することが出來る(昭和九・六・五大判)。但、賃借人が目的物につき有益費を支出したときは、第一九六條第二項により其償還を請求し得る(六〇八條二項)。

6　借家法による造作買取請求權(同法五條)

第三目　賃貸人の義務

1　修繕義務　賃貸人は賃貸物の使用收益に必要な修繕を爲すべき義務を負ふてゐる(六〇六條一項)。破損の程度が甚しく、新造又は改造をしなければ使用收益を爲し得ないときは、目的物の全部又は一部の滅失であつて、修繕の問題は生じない。然し、破損の原因は不可抗力によると、使用收益の結果當然生じたと否とを問はない。故に賃借人の過失によつて破損の生じた場合に於ても、賃貸人は修繕を爲さねばならぬ。但、此場合に賃貸人は賃借人に對して不法行爲又は保管義務違反に基き損害賠償を請求し得るけれども、これと修繕義務とは別個の問題である。

2　妨害除去義務　第三者が賃借人の使用收益を妨げるが如き行爲を爲すときには、事實行爲たると權利の主張たるとを問はず、適當な方法を講じて其妨害を除去し、賃借人をして完全に使用收益を爲さしめねばならぬ（明治三三・一〇・三一大判）。

3　費用償還義務　賃貸人は賃借人の支出した必要費の全部を償還せねばならぬ。而も賃借人が必要費を支出したときには、賃貸借契約の終了を俟たず直ちに其償還を賃貸人に請求することが出來る（六〇八條一項）。

賃借人の支出した有益費は賃貸借契約終了の時に於て、其價額の增加が現存する場合に限り、賃貸人の選擇に從ひ、其支出した金額か又は增加額かを償還せねばならぬ。但、裁判所は賃貸人の請求により、これに相當の猶豫期間を與へることが出來る（六〇八條二項）。

賃借人の支出した費用の償還は、賃貸人が物の返還を受けた時から一年内にこれを請求することを要する（六二二條六〇〇條）。

第四項　賃借權の讓渡及び賃借物の轉貸

第一目　賃借權の讓渡

賃借權の讓渡とは、賃借人が自己の有する賃借權を他人に讓渡すべき債權契約をいふのではなく、直接に賃借權を讓渡する處分行爲をいふ。民法は賃貸人の利益を保護し、賃借權の讓渡には賃貸人の承諾を要すると規定した（六一二條一項）。若し賃貸人の承諾なくして賃借權が讓渡されたときは、賃貸人は其讓渡を否認し得る（大正七・九・三〇、昭和六・一〇・一三大判）。尤も、賃貸人の承諾は明示たることを要しないから、賃貸人が讓受人に對し賃料を請求するとか、又は賃料値上の交渉を爲すとか、或は修繕を爲すとかの場合には、默示の承諾ありと解してよい。

賃借人が、賃貸人の承諾なしに、讓受人をして賃借物を使用收益せしめたときは、賃貸人は、賃貸借契約を解約し、不當利得の返還又は不法行爲による損害賠償を請求し得る。但、損害賠償請求權は一年の除斥期間に服する（六二二條・六〇〇條）。

第二目　賃借物の轉貸

一　轉貸の意義及び要件

轉貸とは、賃借人が第三者をして賃借物の使用收益を爲さしめる債權契約である。他人の物についても賃貸借を爲し得るから、賃借人は賃貸人の承諾がなくとも賃借物を轉貸し得る理である。然し、第六一二條第一項は、賃貸人の承諾がなければ賃借人は轉貸を爲し得ないと規定してゐる。茲に所謂賃貸人の承諾は、解約權（六一二條二項）の拋棄を意味するから、賃貸人が轉貸に承諾を與へたときは、賃貸借を解約し得ないけれども、轉貸につき承諾を與へないにも拘らず、賃借人が轉借人に借用物の使用收益を爲さしめたときは、制裁として、賃貸人は其賃貸借契約を解約することが出來る。

二　轉貸の效果

1　賃貸人の承諾を得て轉貸を爲した場合

（イ）　轉貸人（賃借人）と轉借人との關係　　これは轉貸借契約によつて定まる。賃貸借契約と轉貸借契約とは別個のものであるから、目的物の滅失又は修繕の如き共同の性質を有するものの外、一方の契約について生じた事由は他方に影響を與へない。

（ロ）　賃貸人と賃借人との關係　　轉貸借により賃貸人と賃借人との間の關係は何等の影響を受けないから、賃貸人は賃借人に對して其權利を行使することが出來る（六一三條二項）。然し、賃貸人が轉貸につき承諾を與へてゐる以上は、賃借人と賃貸人との合意により賃貸借契約を解約しても、これがために轉借人の權利を消滅せしめることを得ない（昭和九・三・七大判）。

（ハ）　賃貸人と轉借人との關係　　轉貸借契約から賃貸人と轉借人との間に直接法律關係が生ずる理由はないけれども、民法は特に賃貸人の利益を保護するために、轉借人は賃貸人に對して直接目的物の保管並に返還の義務を負ふ外、直接に借賃支拂の義務をも負ふこととした（六一三條一項）。然し、轉借人は轉貸借契約によつて定まつた借賃以上の賃料を支拂ふ義務がなく、又それによつて定まれる時期以前に支拂を爲す義務を負はない。又、賃貸人も賃貸借契約によつて定まれる以上の借賃を請求する權利がなく、又其時期以前に請求する權利を有しない。然し、民法は轉貸人と轉借人との通謀を防ぐがために、轉借人が轉貸人に對し其期限以前に借賃を支拂つても、賃貸人に對し借賃の前拂をしたことを主張し得ないと規定した（六一三條一項但書）。

2　賃貸人の承諾なしに轉貸を爲した場合

此場合には、賃貸人は賃貸借契約を解約し（六一二條二項）、轉借人の使用收益の停止を請求し得ると共に、賃借人に對し不當利得の返還又は不法行爲による損害賠償を請求し得る。

第五項　賃貸借の終了

一　期間の滿了

賃貸借は、存續期間の定ある場合には、其期間の滿了により終了する。但、當事者の合意により其期間の更新を爲し得る。

賃貸借の期間滿了後、賃借人が賃借物の使用收益を繼續する場合に於て、賃貸人がこれを知りながら異議を述べないときは、民法は前の賃貸借契約と同一の條件を以て新に賃貸借を爲したものと推定した（六一九條一項）。此賃貸借は新な賃貸借であるから、前の賃貸借の保證其他の擔保は、保證人の同意なき限り、期間の滿了と共に消滅するけれども、民法は敷金につき例外を設け、當事者の供した敷金は當然新な賃貸借を擔保することとした（六一九條二項）。尤も、第三者の供した敷金を更新するがためには、第三者の承諾を必要とする。民法は、前賃貸借と同一の條件を以て更新したものと推定してゐるけれども、期間についてまでこれを及ぼすことは不當であるから、更新された賃貸借は期間の定なきものと爲し、第六一七條により何時にても解約し得ることとした（六一九條一項但書）。尙、借地法第六條及び借家法第二條は、民法第六一九條第一項の趣旨を强化してゐる。

二　解約告知

1　告知期間のある告知（解約の申入）　賃貸借につき存續期間を定めなかつたときは、各當事者は何時にても解約の申入を爲し得る。此場合には解約の申入後法定期間を經過することにより賃貸借は終了する（六一七條、借家法三條一項）。

賃貸借につき存續期間の定ある場合には、其期間中解約の申入を爲し得ない理であるけれども、第六一八條・第六二一條は特殊の場合につきこれを認めてゐる。

2　告知期間なき告知（解除）　賃借人より告知し得る場合は、第六〇七條・第六一〇條・第六一一條第二項及び賃借人に事情變更の生じた場合である。賃貸人より告知し得る場合は、第六一二條第二項である。

3　告知の效力　解約告知は賃貸借關係を將來に對してのみ終了せしめるにすぎないから（六二〇條）、告知は既に生じた賃貸借の效力に何等の影響を及ぼさない。故に告知前に發生した損害賠償請求權は消滅しない。尚、民法は、告知期間なき告知を爲すべき原因を與へた當事者の一方に過失あるときには、其者は相方手に對し告知によつて生じた損害の賠償を爲し得ると規定した（六二〇條但書）。

第八款　雇　傭

一　雇傭契約の性質

雇傭契約とは、當事者の一方（被用者）が相手方（使用者）に對して勞務に服することを約し、相手方がこれに其報酬を支拂ふことを約する契約であり(六二三條)、有償・雙務且諾成契約である。然し、現代の雇傭契約は勞務者が一定期間自己の勞働力を使用者の自由處分に委ねることを以て其内容としてゐる。故に勞務者は先づ自己の勞働力を使用者に於て自由に處分し得るやうにしなければならぬ。使用者が被用者に對し企業上の特定の仕事を爲すべしと命ずることによつて、被用者は其仕事につき勞務を給付すべき義務を負ふ。斯の如く現代の雇傭契約に於ては、使用者は指揮命令權を有して居り、玆に請負並に委任との區別の標準がある。

二　雇傭契約の效力

1　被用者の義務

(イ)　勞務義務　勞務は原則として被用者がこれを給付せねばならぬ。故に被用者は任意に第三者をして自己に代つて勞務に服せしめることを得ない(六二五條二項)。被用者が使用者の承諾を得ずに、第三者をして勞務に服せしめたときには、使用者は雇傭契約を解除することが出來る(六二五條三項)。

（ロ）　忠實義務及び注意義務　被用者は使用者の指揮命令に從ひ、善良な管理者の注意を以て勞務を供給せねばならぬ。勿論、使用者の指揮命令が公序良俗に反する場合、若くは被用者保護に關する公法的規定に反する場合には、被用者は其指揮命令に從ふことを要しない。又、被用者は業務上の祕密を嚴守する義務を負ふ。

2　使用者の義務

（イ）　報酬支拂義務　報酬の支拂時期につき特約なきときは、後拂である。卽ち、期間を以て報酬を定めたときは、其期間の經過後（六二四條二項）、然らざる場合には、勞務を終つた後（六二四條一項）報酬を支拂へばよい。

（ロ）　保護義務　使用者は被用者を適當に保護すべき義務を負ひ、被用者の生命・健康・風紀・信敎等につき保護施設を爲し、又被用者を居住せしめる場合には、其居室の設備に留意し人間らしき生活を爲さしめねばならぬ。勞働保護法は此點につき使用者に種々の强制を爲してゐる。

（ハ）　使用者は被用者の承諾がなければ、其權利を第三者に讓渡し得ない（六二五條一項）。

三　雇傭契約の終了

1　勞務の終了

2　期間の滿了（六二九條）

3　解約告知

（イ）　雇傭期間の有無に關係なき告知（六二五條三項六二八條）

（ロ）　雇傭期間の定なき場合に於ける告知（六二七條）

（ハ）　雇傭期間の定ある場合に於ける告知　此場合には、其期間の滿了するまで、各當事者は告知を爲し得ないのが原則であるが、これには第六二六條・第六三一條の例外がある。

尙、雇傭契約の解約告知も、賃貸借の場合と同じく、將來に對してのみ契約の效力を消滅せしむるものである（六三〇條六二〇條）。

第九款　請　負

第一項　請負の性質

請負とは、當事者の一方（請負人）が相手方（注文者）に對して或仕事を完成することを約し、相手方が其仕事の結果に對して報酬の支拂を約する契約であり（六三二條）、有償・雙務且諾成契約である。請負人は仕事の完成のために勞務を供する義務を負ふけれども、請負の目的は勞務の結果たる仕事の完成にあつて、雇傭に於けるが如く勞務の供給自體が契約の目的となつてゐるのではなく、勞務の供給は單に仕事完成の手段である。故に請負人が勞務を供しても、所期の結果が發生しないときには、債務を履行したことにならない。反之、所期の結果が發生したときは、請負人自ら勞務を供したことを要しない。

請負人が材料を供し、其製作した物を注文者に供給する契約を「製作物供給契約」又は「請負供給契約」といふ。此契約は、物の製作を主たる目的とするときは請負であり、物の所有權の移轉を主たる目的とするときは賣買である。從つて此契約が代替物に關する場合には、物の所有權の移轉を主たる目的とする契約と解し、賣買の規定を適用し、不代替物に關する場合には、製作を主たる目的とする契約と解し、請負の規定を適用するのが正當である。

第二項　請負の效力

第一目　請負人の義務

一　仕事完成の義務

請負人は、特約なき限り、契約をすると直ちに仕事に着手せねばならぬ。第三者の勞務により仕事を完成しても契約の本旨に從つた履行と認め得る場合には、請負人は仕事の完成につき第三者を使用することが出來る。請負人が自ら仕事の指揮を爲しつつ第三者を使用する場合は、第三者は履行補助者であり、又請負人が第三者をして仕事の完成を請負はしめる場合は下請負である。下請負人の行爲についても、履行補助者の場合と同じく、請負人は絕對的責任を負はねばならぬ。

二　製作物引渡の義務

1　製作物の所有權の歸屬　完成した製作物の所有權が何人に歸屬するかは、主たる材料の供給者が何人であるかを標準として定めねばならぬ。卽ち、注文者の所有に屬する材料により製作したときは、注文者は製作の完成と同時に製作物の所有權を原始的に取得する。注文者が主たる材料を供し、請負人が從たる材料を供した場合にも、附合の原則により、注文者は製作物の所有權を原始的に取得する（昭和七・五・九大判）。請負人が材料の全部を供するか、又は主たる材料を供したときは、製作の完成と同時に請負人が製作物の所有權を取得し、更にこれを注文者に移轉する義務を負ふ（大正三・一二・二六、大正四・五・二四大判）。此場合には、請負人が其製作物を注文者に引渡す時に所有權移轉の合意ありと解してよい。

2　製作物引渡の義務と報酬請求權との關係　請負人は仕事完成の後でなければ報酬を請求し得ないから（六三三條）、注文者が報酬を提供しないことを理由として、仕事の遂行を拒否し得ない。製作物の引渡を要する請負に於ては、報酬は製作物の引渡と同時にこれを與ふることを要するから（六三三條）、製作物の引渡と報酬の支拂との間に同時履行の關係が生ずる

（大正一三・六・六大判）。

三　擔保責任

1　擔保責任の種類

（イ）瑕疵修補の義務　仕事の目的物に瑕疵あるときは、其瑕疵が材料の不完全に基くと、叉工作の不完全によるとを問はず、注文者は請負人に對し相當の期間を定めて其瑕疵の修補を請求し得る（六三四條一項）。瑕疵は請負人の過失により生じたことを要せず、叉隱れた瑕疵であることを要しない。故に注文者が瑕疵を知つて製作物を受領した場合に於ても、瑕疵修補請求權を抛棄する意思表示のない限り、尙此權利を有する（大正四・一二・二八大判）。瑕疵が輕微である場合には、請負人は其修補に過分の費用を要することを理由として瑕疵修補義務を免れ得る（六三四條一項但書）。

請負人が瑕疵を修補しない限り、未だ仕事を完成したとはいひ得ないから、注文者は修補の完了するまで報酬の支拂を拒絶することが出來る。

（ロ）損害賠償の義務　注文者は、瑕疵修補の請求を爲すか、叉は修補に代る損害賠償の請求を爲すか、何れかを選擇し得る。又、注文者は瑕疵修補の請求を爲すと共に、損害賠償の請求をも爲し得る(六三四條二項)。民法は、損害賠償請求權と報酬請求權との間に同時履行の抗辯權を認めてゐる(同條同項)。

(ハ)　契約の解除　瑕疵が重大にして其修補が不可能であるか、又は修補が可能であつても修補に長期間を要し、これがために契約を爲した目的を達し得ない場合には、注文者は直ちに契約の解除を爲すことが出來る(六三五條)。仕事の目的物が建物其他土地の工作物である場合には、假令瑕疵のために契約を爲した目的を達し得ないときでも、注文者は解除權を有しない(同條但書)。本條は請負人保護に關する規定であるから、反對の特約を許さない。

2　擔保責任の減免に關する特則

(イ)　仕事の目的物の瑕疵が注文者より供した材料の性質、又は注文者の指圖によつて生じたときは、注文者の善意惡意並に過失の有無を問はず、請負人は擔保責任を負はない(六三六條)。但、請負人が其材料又は指圖の不適當なことを知りながらこれを注文者に告げなかつたときは、此限りでない(同條但書)。

（ロ）請負人が擔保責任を負はない旨を特約したときと雖も、其知つて告げなかつた事實については、其責を免れることを得ない（六四〇條）。

3 擔保責任の存續期間（六三七條乃至六三九條）。

第二目 注文者の義務

一 報酬支拂の義務

報酬の支拂時期については、第六三三條に於て規定してゐる。報酬の支拂と目的物の引渡との間には同時履行の抗辯權が成立する（大正一三・六・六大判）。尤も、本條は强行規定でないから、當事者は報酬の前拂又は仕事の進行に應じて分割支拂の特約を爲し得る。

二 請負に於ける危險負擔

仕事の着手後請負人の責に歸すべからざる事由により材料が滅失し、又は仕事完成後其引渡前に請負人の責に歸すべからざる事由により製作物が滅失した場合に、仕事の完成が不能であれば、請負人は仕事完成の義務を免れる。而して此場合に注文者の報酬債務が消滅するか否かは場合を分けて考へねばならぬ。即ち、請負が目的物の引渡を要しないときは、債務者たる請負人が危險を負擔し、注文者の報酬債務は消滅する（五三六條一項）。請負が目的物の引渡を要する場合に於ても、製作の完成と同時に注文者が目的物の所有權を取得するとき、又請負人が製作物の所有權を取得する場合に於ても、履行不能の事由が製作中に生じたときには、同じく請負人が危險を負擔する。仕事完成後目的物の引渡前に履行不能となつだときにも同様に解してよい（大正三・一二・二六大判）。

履行不能が注文者の責に歸すべき事由によつて生じたときは、請負人は報酬請求權を失はない（五三六條二項）。

第三項　請負の終了

特別の終了原因として解除及び解約がある。第六三五條・第六四一條は解除につき、第六四二條は解約につき規定してゐる。

第十款　委　任

第一項　委任の性質

委任とは、當事者の一方（委任者）が或事務の處理を相手方（受任者）に委託し、相手方がこれを承諾する契約である（六四三條）。本條によれば委任の目的は法律行爲の處理に限られるやうであるけれども、第六五六條によると、法律行爲に非ざる事務の委託も亦委任の目的となり得る。法律行爲は原則として委任の目的となるが、婚姻・養子緣組・離婚・離緣の如き身分法上の法律行爲は、其性質上本人自ら意思決定を爲すことを要するから、委任の目的とならぬ。

委任は一定の目的を達せんがために勞務によつて事務を處理すること自體を內容とするものであり、仕事の完成を內容とするものではない。此點に於て請負と異る。

委任は委任者又は第三者の事務を處理することを目的とするから、受任者自身の事務は委任の目的とならない。然し、委任事務處理の法律上の效果が委任者につき生ずる限り、假令受任者が其處理の事實上の利益を受けることがあつても、委任の目的となり得る。例へば、株式名義書換の委任の如きである。

委任は現行法上原則として片務且無償契約である（六四八條一項）。然し、商人が受任者である場合には、其委任は有償である（商五一二條）。又、醫師・辯護士の如く、委任を受けることが其者の業務に關してゐる場合には、原則として其委任は有償である。其他の委任についても報酬に關し明示又は默示の特約あることを通常とする。故に實際生活に於ては、委任は有償且雙務となつてゐる。

第二項　委任の效力

一　受任者の義務

1　委任事務の處理義務　受任者は委任の本旨に從ひ善良なる管理者の注意を以て、原則として自ら委任事務を處理しなければならぬ（六四四條）。但、自己の責任を以て事務の處理につき補助者を使用し得る（大正三・三・一七大判）。又、受任者は、委任者の許諾なくとも已むことを得ざる事由あるときは、復委任を爲し得る（一〇四條・一〇五條類推適用）。

2　委任事務處理の報告義務（六四五條）

3　金錢其他の物の引渡義務（六四六條一項）　引渡時期につき特約なきときは、委任者の催告により始めて履行遲滯に陷る。若し、何等の催告がなければ、委任事務終了の時に引渡すべき義務を有する（大正七・二・一三、昭和五・三・四大判）。

4　權利移轉の義務（六四六條二項）

5　利息支拂及び損害賠償義務（六四七條）

二　委任者の義務

1　費用前拂の義務（六四九條）

2　立替費用の償還義務（六五〇條一項）

3　債務辨濟の義務（六五〇條二項）

4　損害賠償義務　受任者が自己の過失によらずに、委任事務を處理するにつき損害を受けたときは、委任者は其賠償を爲すことを要する（六五〇條三項）。其損害の原因が委任者の指圖其他委任者の過失に基因するか否かを問はない。

5　報酬支拂義務　これは有償委任に特有な委任者の義務である（六四八條）。

第三項　委任の終了

1　委任者又は受任者の死亡若くは破産　委任は信任關係を基礎とする契約であるから、當事者の一方が死亡若くは破産したときは、委任は終了する（六五三條）。

2　受任者の禁治産　受任者が禁治産の宣告を受け、後見に付せられたときは、委任は終了する（六五三條）。

3　委任の解約　各當事者は何時にても委任を解約することが出來る（六五一條一項）。卽ち、相手方の義務不履行の如き特別の事由なくとも、一定の告知期間を設けずに、任意に辭任又は解任を爲し得る。然し、委任が專ら當事者一方の利益のために爲された場合には、他方は信義則上任意に解約を爲し得ない（大正六・一・二〇、大正九・四・二四、昭和七・三・二五大判）。解約を爲した當事者は其ために相手方が損害を蒙つても、これを賠償する義務を負はない。然し、相手方の不利な時期に解約したときは、已むことを得ざる事由に基き解約した場合の外、損害を賠償することを要する（六五一條二項）。

委任の解約は將來に向つてのみ其效力を生ずる（六五二條六二〇條）。

4 應急處分の義務（六五四條）

5 委任終了の事由は、これを相手方に通知し又は相手方がこれを知つたときでなければ、これを以て其相手方に對抗し得ない（六五五條）。

第十一款　寄　託

第一項　寄託の性質

寄託とは、當事者の一方（受寄者）が相手方（寄託者）のために保管を爲すことを約し或物を受取ることにより成立する要物契約である（六五七條）。又、寄託は原則として無償且片務契約であるが、當事者は報酬の特約を爲すことが出來る（六六五條六四八條）。實際生活に於ては、寄託は倉庫に爲されるから、有償である。

第二項　寄託の效力

一　受寄者の義務

1　寄託物保管義務　寄託物の保管につき、有償寄託に於ては、善良なる管理者の注意を用ひなければならぬが（四〇〇條）、無償寄託に於ては、自己の財産に於けると同一の注意を用ふればよい（六五九條）。又、受寄者は、寄託者の承諾がなければ、第三者をして受寄物を保管せしめることを得ない（六五八條一項）。尤も、單なる補助者を使用することは妨げない。受寄者が第三者をして受寄物を保管せしめ得る場合には、受寄者は第三者の選任及び監督につき寄託者に對して責を負ひ、又第三者は寄託者に對し直接に受寄者と同一の權利義務を有する（六五八條二項・一〇五條・一〇七條二項）。尚、受寄者は寄託者の承諾がなければ、受寄物を使用することが出來ない（六五八條一項）。

2　危險通知義務（六六〇條）

3　金錢其他の物及び果實の引渡並に權利移轉の義務（六六五條六四六條）

4 利息支拂並に損害賠償義務（六六五條・六四七條）

5 受寄物返還義務　受寄者は寄託終了の場合に受寄物を返還しなければならぬ。特約なきときは、保管を爲すべき場所に於て返還することを要するが、受寄者が正當な事由により、受寄物を轉置したときは、現在の場所に於て返還すればよい（六六四條）。

6 占有の侵害を排除する義務　受寄者は常に占有者であり、受寄物の占有を第三者が侵害した場合には、其者に對し占有訴權を行使し得る。而も其行使は寄託者に對する義務と解してよい。

二　寄託者の義務

寄託者は、費用前拂（六六五條・六四九條）、立替費用並に利息償還（六六五條・六五〇條一項）、債務辨濟並に擔保提供（六六五條・六五〇條二項）及び損害賠償の義務（六六一條）を負ひ、有償寄託に於ては更に報酬支拂義務（六六五條・六四八條）を負擔する。

第三項　寄託の終了

寄託に特殊な終了原因は告知である。寄託者は、寄託物返還の時期を定めたときでも、其期限前に告知して返還を請求し得る（六六二條）。受寄者は返還時期の定あるときは、已むことを得ざる事由がなければ、其期限前に告知して返還を爲すことを得ない（六六三條二項）。反之、返還時期につき何等の定なきときは、受寄者は何時にても告知して返還を爲し得る（六六三條一項）。

第四項　消費寄託（不規則寄託）

消費寄託とは、受寄者が受寄物を消費し、これと種類・品等及び數量の同じき物の返還を目的とする寄託である（六六六條五八七條）。受寄物の所有權は受寄者に移轉する。消費貸借は借主が金錢其他の物の利用を爲し得ることを目的とするに反し、消費寄託は寄託者のための保管を目的とする。

民法は、消費寄託につき、消費貸借に關する規定を準用してゐる（六六六條）。但、本條但書に牴觸する第五九一條第一項は準用されない。

第十二款　組　合

第一項　組合の性質

組合とは、各當事者が出資を爲して共同の事業を營むことを約する契約である(六六七條一項)。組合は契約關係による人の結合であつて、社團法人とか權利能力なき社團とかの如く、組織體ではない。然し、産業組合・水利組合・森林組合・漁業組合・重要物産同業組合等の如く、組合といふ名稱を有してゐても、法人であるものが少くないから、名稱によつて兩者を區別することは出來ない。

組合は組合員相互間の契約關係であるけれども、民法は、後述の如く、成立した組合に或程度の團體性を與へてゐる。

第二項　組合の業務執行

一　内部的業務の執行

1　組合員の業務執行權　各組合員は原則として業務の執行に參與する權利義務を有する。但、組合契約又は追加契約を以て、組合員中の或者を業務執行者と定めたときは、此限りでない。總組合員が業務執行に參與する方法につき、民法は組合員の過半數を以てしてゐる(六七〇條一項)。然し、組合の常務は其取扱方法が一定して居り、特に多數の意見を徴する必要がないから、各組合員はこれを專行し得る(六七〇條三項)。但、其常務結了前に他の組合員が異議を述べたときは、專行し得ないから(六七〇條三項但書)、過半數によるべきである。

2　業務執行者の執行權　組合契約又は追加契約により業務の執行を委任された組合員は、其委任を受けた事項につき業務を執行すべき權利義務を有し、他の組合員は組合の常務と雖も執行權を有しない。業務執行者數人あるときは其過半數を以て決する(六七〇條二項)。但、組合の常務は、他の業務執行者が其結了前に異議を述べない限り、各自單獨に執行することが出來る(六七〇條三項)。組合契約により業務執行者となつた者は、受任者ではないが、受任者と同樣の義務を負擔せしめてよいから、民法は、業務を執行する組合員にも第六四四條乃至第六五〇條の規定を準用した（六七一條）。然し、組合契約により業務執行者となつた者は總組合員の一致により組合契約を變更しない限り、受任者の如く任意に辭任又は解任を爲し得ない理である。そこで民法は、正當の事由がなければ辭任することを得ず、又解任さるることとなし、而も正當の事由によつて解任を爲すには、他の組合員の一致あることを要する、と規定した（六七二條）。

3 組合員の檢査權　業務執行者のある場合には、其委任事務につき他の組合員は業務執行權を有しないけれども、組合の事業は共同の事業であるから、他の組合員は其業務の執行を監督し、財産狀態を檢査する權利を有してゐる（六七三條）。

二　外部的業務の執行

組合の名に於て手形を授受するとか、其他第三者と法律行爲を爲すことが業務の內容となつてゐる場合には、業務執行權を有する者は、其業務執行の範圍內に於て、組合員を代理する權限を有するものと解してよい（大正七・一〇・二、大正八・九・二七大判）。又、業務執行者は總組合員を代理して訴訟行爲を爲し得ると解してよい。

第三項　組合の財産關係

一　組合員の出資

組合契約が成立すると、各組合員は出資義務を負擔する。出資は金錢でなくともよい。其他の物の所有權・地上權・無體財產權・債權・信用・勞務(六六七條二項)を以て出資の目的と爲すことも出來る。出資義務の履行として既に供出された財產が組合財產を組成するのは勿論であるが(六六八條)、未だ履行されない組合の出資請求權も組合財產に屬する。故に業務執行者は組合の業務執行として出資義務の履行を請求し、又業務執行者なきときは、各組合員は總組合員のために出資義務の履行請求權を有する。

尙、民法は組合財產の充實を確保するがため、組合員が金錢出資義務を遲滯した場合につき、第四一九條に對する特則を設け、遲滯者は遲延利息を支拂ふ外、尙其以外に損害の生じたときには其賠償をも爲すことを要すると規定した(六六九條)。

二　損益分配

損益分配の割合につき何等の定なきときは、各組合員の出資の價額の割合に應じてこれを定める（六七四條一項）。利益又は損失についてのみ分配の割合を定めた場合には、民法は、其割合は兩者に共通であると推定した（六七四條二項）。

三　組合財產

組合財產は各組合員の出資及び其他の財產から成つてゐる（六六八條）。組合財產は共同事業を營むがために結合せる各種の權利の全體であるから、組合が存續する限り、組合財產は各組合員の私財から獨立した特別財產である。

組合は法人でなく、多數人の契約による結合にすぎないから、組合自身が財產の主體とはなり得ない。財產の主體は總組合員であり、民法も、組合財產は總組合員の共有に屬すると規定してゐる（六六八條）。此組合財產の共有は、共同事業を營むために成立した人的結合に基く共同所有の關係、卽ち合有であり、主體側の人的結合に基かず、單に目的物の分割あるまで一時的に成立する共同所有の關係、卽ち共有とは異る。民法も、各組合員は淸算前に組合財產の分割を請求し得ないと規定してゐる（六七六條二項參照二五六條）。故に淸算前に組合財產を分割するには、總組合員の合意を必要とする(大正二・六・二八大判)。

又、民法は、各組合員が組合財産に對して有する持分權を處分しても、其處分はこれを以て組合及び組合と取引した第三者に對抗し得ないと規定してゐる(六七六條一項)。故に組合員が持分權の處分を有效に爲すがためには、總組合員の同意を必要とする。或組合員が總組合員の同意を得て其持分を處分する場合は、組合財産に對する總持分の處分であり、それは同時に組合員たる地位の承繼を伴ふものと解さねばならぬ(大正四・一〇・二、大正五・一二・二〇大判)。卽ち、組合員の持分の處分は、組合員たる法的地位の承繼を介さなければ不可能である。

組合財産に屬する債權についても、合有に關する組合の規定が適用されるから、假令其債權が可分であつても、各組合員に分割されない(昭和七・一二・一〇大判)。故に組合員が組合に對して債權を取得しても、其債權は組合財産より辨濟されるのであり、其組合員の負擔部分につき債權者と債務者との混同を生ずるものではない(昭和一一・二・二五大判)。

組合財産に屬する債權と、組合員個人の有する債權とは別個のものであるから、組合の債務者は其債務と組合員に對して有する債權とを相殺し得ない(六七七條)。

四　組合の債務

組合は法人格を有しないから、組合の債務といふも實は各組合員の債務である。然し、組合の債務は各組合員固有の債務と異りへ組合の業務執行者が組合財産を以てそれを支拂ふのである。尤も、組合の債權者は、先づ組合に對して履行を請求すべき義務を有しないから、直ちに各組合員に對して履行の請求を爲した場合には、各組合員はこれを支拂はねばならぬと共に、其責任は出資額を以て限度としない。然し、組合員相互の内部關係に於ては、組合の債務は損失分擔の割合に應じて各組合員に分割されるから、自己の分擔額以上を辨濟した組合員は、他の組合員に對して求償することが出來る。尚、組合の債權者は損失分擔の割合に應じて各組合員に對し履行を請求することも出來る。而して債權者が債權發生の當時組合員の損失分擔の割合を知らなかつたときは、各組合員に對し均一部分につき其權利を行使し得る（六七五條）。

第四項　組合員の脱退及び加入

一　組合員の脱退

民法は組合に團體性を認め、組合員の脱退あるも其組合は同一性を保つて存續するとした。

1　脱退の事由

(イ)　任意脱退(六七八條)　これは脱退せんとする組合員と他の組合員との間に於ける組合關係を將來に向つて終了せしめんとする一方的意思表示であり、一種の解約告知である。故に脱退の意思表示は總組合員に對して爲さねばならぬ。

(ロ)　非任意脱退(六七九條六八〇條)

2　脱退の效果

脱退は組合契約の解約告知であるから、其效力は將來に向つて發生し(六八四條六二〇條)、脱退した者は將來に向つて組合員たる地位を失ふ。脱退により脱退員が組合財産に對して有した持分は當然殘存組合員の持分の上に追增することとなる。而して脱退員と組合との間に財産拂戻の問題が生ずる。民法は、此問題につき、脱退員に不利益を與へない範圍に於て組合の利益を圖つた(六八一條)。

二　組合員の加入

新組合員の加入は、加入者と從來の組合員との合意によつて成立する。加入者は加入により當然組合財産に對する持分を取得し、其割合は特約なき限り出資額による。

第五項　組合の解散及び清算

一　組合の解散

組合の解散は、法人の解散と同樣、組合を終了せしめるものではなく、組合の事業を清算の目的に限局することを意味する。故に解散があつても、尙從來の組合は清算の範圍內に於て存續し、清算の終了により組合は終了する。

1　解散の事由

(イ)　組合の目的たる事業の成功又は其成功の不能(六八二條)

(ロ)　組合の經營困難等の如く、已むを得ざる事由あるときは、各組合員は組合の解散を請求することが出來る(六八三條)。

（ハ）　組合契約を以て定めた解散事由の發生

（ニ）　總組合員の合意

2　解散の效果（六八四條六二〇條）

二　組合の清算

組合が解散したときは、直ちに清算手續が開始される。民法は、此清算に關し、特別規定を設けてゐる（六八五條乃至六八八條）。

第十三款　終身定期金

一　終身定期金契約の性質

終身定期金契約とは、當事者の一方が相手方に對し、或特定人（自己・相手方又は第三者）の死亡に至るまで、定期に金錢其他の物を相手方又は第三者に給付することを約する契約である（六八九條）。此契約により給付を受ける者が第三者である場合には、其契約は第三者の爲にする契約であるから、第五三七條以下の規定が適用される。又、遺言によりこれを爲す場合には、遺贈の規定によるべきことは勿論であるが、成立した終身定期金債權の效力については、第六九〇條以下の規定が準用される(六九四條)。

二　終身定期金契約の效力

終身定期金契約の締結により、一個の包括的債權たる定期金債權が發生し、此基本的債權から更に每期の辨濟期の到來により、各個の支分的債權が發生する。

定期金債權が標準となるべき期間の中途に於て消滅した場合につき、別段の定なきときは、民法は日割を以て定期金を計算することとした(六九〇條)。

定期金債務者が債權者より定期金の元本を受けた場合に於て、債務者が其定期金の給付を怠り、又は其他の義務を履行しないときは、債權者は履行の催告を要せず、直ちに契約を解除して元本の返還を請求し得る(六九一條一項)。此場合債權者は、元本並に其利息の返還を請求し得ると共に、既に受取つた定期金については、利息を附して返還せねばならぬ理であるが、民法は計算を簡易ならしめるため、債權者は既に受取つた定期金中より其元本の利息を控除した殘額を債務者に返還することを以て足ると規定した(六九一條一項但書)。契約解除の結果債權者に損害が生じた場合には、債權者は其賠償を請求し得る（六九一條二項）。尚、債權者の既に受取つた定期金の返還義務と、債務者の元本の返還並に損害賠償義務との間には、同時履行の抗辯權が成立する（六九二條）。

終身定期金契約は、特定人の死亡により當然消滅するのが原則である。然し、其死亡が定期金債務者の責に歸すべき事由により生じたときは、債權者は當然受くべき將來の利益を奪はれることとなるから、民法は例外規定を設けた（六九三條）。

第十四款　和　解

一　和解の性質

和解は、當事者が互に讓步して其間に存する爭を止めることを目的とする有償・雙務且諾成契約である（六九五條）。裁判所に於て爲す和解は調書の作成を必要とする（民訴三五六條）。

茲に爭とは、當事者間に於て權利又は法律關係の存否・範圍又は態樣につき、互に反對の主張を爲すことを意味する。和解は當事者が互に讓步することを内容とするから、假令示談でも、當事者の一方のみが其主張を抛棄し、又は相手方の主張の全部又は一部を認諾するに止まるときは、和解でない。

和解に於ける讓歩は、實質上權利の抛棄を意味するから、和解の當事者は處分の能力又は權限を有することを必要とする。

二　和解の效力

1　紛爭確定の效力　和解により爭あつた法律關係は確定し、當事者は同一事項につき再び各自の主張を爲し得ない。和解の效力は認定的であるが、民法は紛爭確定の效力を確保するがために、第六九六條を設けた。

2　和解の效力と錯誤　和解契約の意思表示に錯誤があつても、其錯誤が爭の目的たる權利又は法律關係の存否に關するものであるときには、第六九六條の規定する事實に該當するから、同條の適用を受け、第九五條は適用されない。反之、爭の目的とならぬ事項にして和解の要素を爲すものにつき錯誤のあつた場合には、第九五條が適用される（大正六・九・一八、昭和五・三・一三大判）。

第二章　事務管理

第一節　事務管理の性質及び要件

一　事務管理の性質

事務管理とは、法律上の義務なくして他人のために其事務の管理を爲すことである。他人の事務を管理する者を管理人といひ、其他人を本人といふ。此制度は、社會連帶の理想に立つものであり、一面本人の利益を保護すると共に、他面社會の利益に適應せんとする使命を有してゐる。

二　事務管理の成立要件

1　他人の事務を管理すること。　事務とは生活に利益を伴ふ一切の事柄を指す。事務管理の目的となる事務は、これを爲すことが債務の目的となり得るものでなくてはならぬ。故に其事柄が宗教・道德又は風習に關するものであつて、これにつき法律上の拘束を認めることが公序良俗に反する場合には、其事柄は事務管理の目的とならぬ。

又、事務管理の目的となる事務は他人の事務であることを要する。他人の事務とは、廣く其事實的又は法律的結果が他人に歸屬すると一般的に認められる事務をいふと解してよい。

2 義務なくして管理を爲すこと。　他人の事務であつても、法律の規定又は當事者の合意により管理を爲すべき義務ある場合に、管理人が其義務を履行しても、事務管理は成立しない。然し、管理人が第三者に對して義務を負ふ場合に於ても、本人と管理人との間を規律すべき法律關係なきときには、事務管理となる。

3 他人のために事務を管理すること。　管理行爲により他人に利益を與へ若くは他人をして損害を免れしめたと認められる場合には、假令管理人が他人のためにする意思を有してゐなくとも、事務管理が成立する。

4 本人のために不利なことが明かならず、又本人の意思に反すること明かならざること（七〇〇條但書）。　本人の意思に反することが明かな場合に於ても、本人の意思が强行法規若くは公序良俗に反する場合には、事務管理は成立する（大正八・四・一八大判）。

第二節　事務管理の効果

一　管理人の義務

1　管理繼續の義務（七〇〇條）

2　管理の方法　管理人が管理方法に關する本人の意思を知り、又はこれを推知し得る場合には、其意思に從つて管理を爲さねばならぬ（六九七條二項）。本人が意思無能力者であるときには、法定代理人の意思に從ふべきである。但、本人の意思に從ふことが公序良俗に反するときは、それを無視してよい。

3　管理上の注意義務　管理人は各個の管理行爲につき善良な管理者の注意を用ふることを要する。第六九七條第一項が、「其事務ノ性質ニ從ヒ最モ本人ノ利益ニ適スヘキ方法ニ依リテ其管理ヲ爲スコトヲ要ス」といふのは此意味である。管理人が此義務に違反したときには、不履行の責を負はねばならぬ。然し、本人の身體・名譽又は財産に對する客観的に急迫な危害を免れしめるがために、其事務を管理した場合には、管理人の注意義務が輕減されてゐる（六九八條）。

4　管理開始通知義務（六九九條）

5　計算義務（七〇一條・六四五條乃至六四七條）

二　本人の義務

民法は、本人の有益費償還義務につき、事務管理が本人の意思に反しない場合（七〇二條一項二項）と、本人の意思に反する場合（七〇二條三項）とを區別して、規定してゐる。

第三章　不當利得

第一節　不當利得の性質

不當利得の制度は、受益者が法律上の理由なしに他人の損失に於て受けた不當な利得を受益者より剝奪することを目的としてゐる。從つて被害者の受けた損害の塡補を目的とする不法行爲とは根本精神に於て異つてゐる。不當利得の返還請求に於ける基準は、受益者に不當な利得を保持せしめることが法律上理由なしとするにあるから、我民法は、これを「法律上ノ原因ナクシテ」と表現してゐる（七〇三條）。即ち、不當利得による受益者の利得返還義務は、不適法な方法に於て利得をしたといふ出來事により、法律の規定に基き當然發生する債務である。

第二節　不當利得の成立要件

不當利得の返還義務は、法律上の原因なくして他人の財産又は勞務により利益を受け、これがために他人に損失を及ぼしたことを以て發生要件とする(七〇三條)。

一　法律上の原因なくして利得を爲したこと

元來不當利得は、給付行爲に基く不當利得を主眼としてゐたから、「無原因」とは、給付行爲の原因なきことを意味した。然し、後世此不當利得の原則を給付行爲に基く不當利得以外の場合に擴大し、他人の物又は權利を利用して利得する場合の如く利得が受益者の行爲による場合、及び利得が偶然の出來事による場合に於ても、利得を返還せしめることが公平であると考へられる場合には、總て不當利得の原則が適用された。現代に於ては、寧ろ給付行爲以外の事由による不當利得の方が重要となつてゐる。從つて「法律上ノ原因ナシ」の意義を定めるについても、此兩者を區別しなければならぬ。

1　給付行爲に基く不當利得の原因　給付行爲による不當利得の原因とは、其原因を爲す基本的法律關係、卽ち債權關係である。故に給付行爲に基く利得が法律上の原因を缺く場合とは、債權關係なくして其利得を保持する場合である。

2　給付行爲以外の事由による不當利得の原因　給付行爲以外の事由によつて利得した場合の法律上の原因とは、其利得を爲すべき權利を意味する。故に此場合法律上の原因なくして利得したといふことは、受益者が權利なくして利得を爲したことである。此場合に於ける不當利得の方法は頗る廣汎である。其主なる場合は、

(イ)　利得が受益者の行爲による場合。　これには、受益者が他人の物又は權利を第三者に賣却して其代金を取得する場合の如く、受益者の法律行爲による場合と、受益者が他人の物又は權利を消費・使用・收益して利得する場合の如く、受益者の事實行爲による場合とがある。

(ロ)　利得が利得者の執行行爲に基く場合。　例へば、債權者が强制執行を爲すに當り第三者の所有物を競賣して其代金より配當を受けたとか(大正八・五・二六大判)、後順位者が先順位者に先立ち配當を受けたとか(昭和八・一〇・一八大判)の場合である。

(ハ)　利得が損失者の行爲に基く場合。　例へば、親族が扶養義務の先順位者に代つて扶養を爲した場合(大正一三・一一・二四大判)の如きである。

（ニ）　利得が事件に基く場合。　例へば、盗人が窃取物を利得者の家に投げこんで逃走した場合の如きである。

3　利得が法律の直接規定により生じた場合。　時効により權利を取得し若くは義務を免れ、善意取得（一九二條）により權利を取得し、又は附合・混和・加工によつて利得の生ずる場合の如く、法律の直接規定により利得の生ずる場合に、不當利得となるか否かは、各個の規定の決するところである。卽ち、時效・善意取得の如く、法律上利得を認める理由が受益者をして其利得を保持せしめんとするにあるときは、不當利得とならない。然し、附合・混和・加工の場合には、一物上に共有權を認めることを便宜としないとの理由に基くにすぎないから、法律は不當利得の返還請求權を認めてゐる（二四八條）。

二　他人の財産又は勞務を原因として利益を受けたこと

他人の財産權又は財産的利益の移轉を受けた場合のみならず、他人の財産權が消滅し、それにより自己の財産が增加した場合でもよい。例へば、自己の占有する他人の動産を善意の第三者に讓渡して其代金を取得する場合の如きである。尙、他人の財産權の消滅を來たさなくとも、他人の當然取得すべかりし財産により利益を受け、これがために他人の財産を増加せしめなかつた場合にも、他人の財産によつて利益を受けたものといはねばならぬ（大正三・七・一大判）。例へば、他人の物又は權利、殊に他人の特許權若くは著作權を利用するとか、無屆にてラヂオを聽取するとかの如きである。

三　これがために他人に損失を及ぼしたこと

他人の財産又は勞務により利益を受けても、これがため他人に損失を及ぼさないときは不當利得とならない。例へば、鐵道の開設により沿線の住民が利益を受けた場合の如きである。又、夫婦共同生活中に妻の爲した勤勞は妻として爲すべき家事に從事したのであるから、假令離婚しても妻の損失に於て夫が利得したといふことは出來ない（大正一〇・五・一七大判）。然し、他人が損失を受けるといふことは、既存財産の減少することのみならず、他人の増加すべかりし財産の不増加をも包含するから（大正三・七・一大判）、他人の物又は權利を權利なくして使用したときには、權利者は使用料に相當する損失を蒙り（大正一一・五・四大判評論一一卷諸法一九四頁）、他人の金錢を利殖したときには、通常の利息も其他人の損失となり、又無屆にてラヂオを聽取したときには、正規の聽取料が放送局の損失となる。

四　損失と利得との間に於ける因果關係

不當利得の成立するがためには、損失と利得との間に因果關係の存することを必要とするけれども、其因果關係を直接の因果關係と解することは、不當利得の適用範圍を不當に狹めることとなるから、間接の因果關係があつても、不當利得は成立すると解してよい。

第三節　非債辨濟による不當利得の特則

一　狹義の非債辨濟

辨濟者が給付の原因たる債務が存在しないに拘らず、辨濟として給付したときは、不當利得の一般要件により、辨濟者は其受領者に對して利得返還の請求を爲し得る理であるけれども、辨濟者が給付を爲す當時債務の存在しないことを知つてゐた場合には、不當利得による返還請求權を與へて保護すべき必要がない。そこで民法は、非債辨濟が不當利得となるがためには、辨濟者が辨濟の當時債務の存在しないことを知らなかつたことを要件のとして加へた（七〇五條）。

債務の不存在を知りながら給付を爲した者に不當利得の返還請求を認めない理由は、自ら進んで損失を招いた者を法が保護するの要なしとするにあるから、假令給付の當時債務の存在しないことを知つて居ても、任意に給付したのではなく、强制執行を避けるためとか、强迫によつたとか、其他已むことを得ずに給付した場合、並に强制執行を受けた場合には、債務の存在しない限り、不當利得の返還請求を認めねばならぬ（大正六・一二・一一大判）。

二　辨濟期前の辨濟

債務者が辨濟期前に辨濟したときは、債權者は中間利息を利得する。此利得は法律上の原因を缺くこととなるから、債務者が期限の利益を拋棄したのではなく、錯誤に基いて辨濟期前に辨濟を爲したことを證明したときには、期限前の辨濟により債權者の得た利得の返還を請求することが出來る（七〇六條）。

三　他人の債務の辨濟

債務者に非ざる第三者が、錯誤により自ら債務者であると誤信して他人の債務を辨濟したときには、債務者のために辨濟したのでないから、第三者の辨濟としての效力が生じない。故に債權は消滅せず、債權者は不當に利得したことになるから、辨濟者は不當利得による返還請求を爲し得ることは明かである。然し、辨濟を受けた債權者が、辨濟者の錯誤を知らずに、債權は辨濟によつて消滅したものと信じ、其債權證書を毀滅するとか、質物を返還し又は抵當權の登記を抹消する等擔保を抛棄するとか、或は又債權の行使を爲さないがために其債權が消滅時效に罹るやうなことがあり得る。民法は、斯る場合に、債權者を保護するがため、其辨濟を第三者の辨濟として有效なものと看做し、それにより債權は消滅するから、辨濟者は不當利得の返還請求權を有しないと規定した(七〇七條一項)。尙、辨濟者は此場合債務者に對し求償することが出來る(七〇七條二項)。

第四節　不法原因のための給付による不當利得の特則

給付の原因が不法であるときは、法律上原因としての效力が發生しないから、其給付は法律上の原因なきものとなり、給付者は不當利得の原則により其給付したものの返還を請求し得る理である。然し、自己の不法な行爲を理由として法律上の保護を求めることは、法律が權利を認める根本目的に反するから、民法は、不法原因のため給付を爲した者は其給付したものの返還を請求し得ないと規定した(七〇八條)。本條に所謂不法の原因とは、給付の目的が公序良俗に反することをいふ。例へば、贈賄するとか、賭博上の債務を辨濟するとかの如きである。然し、禁止規定の中には、時代の倫理思想に立脚するものもあるけれども、又專ら政策的見地より定められたものも少くないから、假令給付の原因が禁止規定に違反してゐても、其禁止が公序良俗に反することを理由としてゐないときは、本條の適用がなく、給付者は不當利得の原則により利得の返還を請求し得ると解してよい(明治四一・五・九大判)。故に、例へば、權利株賣買の代金(明治四三・七・五大判)、分家を爲すことの對價として讓渡した不動產(明治四四・一〇・一六大判)等は、給付者より不當利得の返還を請求し得る。

本條は、給付行爲自體の有效を前提とし、其原因の不法な場合に關する規定であるから恩給證書を質入するとか(恩給法一一條一項)、權利の讓渡が虛僞表示に基く場合の如く、給付行爲其ものが無效であるときには、給付者は物上請求權により其物の取戾又は其登記の抹消を請求し得る(大正七・八・六、大正五・二・三、昭和四・一〇・二六大判)。

又、本條は、自己の爲した不法な行爲を理由として法律上の保護を求むることを得ずとの趣旨によるものであるから、受益者についてのみ給付の原因を不法ならしめる理由が存在した場合には、給付者の不當利得の返還請求權を拒否すべき理由がない。民法は、斯る場合に、給付者の不當利得返還請求權を認めてゐる(七〇八條但書)。利息制限法の制限超過を知らずに、其超過利息を支拂つた場合にも、本條但書が適用されると解してよい。

第五節　不當利得の效力

一　利得の確定時期

不當利得により受益者は損失者に對し利得返還義務を負ふ。民法は、返還すべき利得を確定すべき時期につき、受益者の善意の場合と惡意の場合とを區別してゐる。

1　受益者が善意の場合　善意の受益者は、其利益の存する限度に於てこれを返還する義務を負ふから（七〇三條）、此場合に於ける利得確定の時期は利得返還の請求を受けた時である。故に假令利益を受けても、此時に存在しない利益は、所謂現存利益でないから、返還すべき利得とならぬ。然し、現存利益とは、積極的に利益が殘存する場合のみならず、受けた利益を以て物を買ひ若くは債務を辨濟した場合の如く、當然生ずべき自己の財產の減少を免れた消極的利益をも含む（大正一二・二・二一大判）。尙、受けた利益は現存するものと推定してよいから（大正八・五・一二、昭和八・一一・二一大判）、損失者に於て利益の現存することを證明するの要なく、受益者に於て利益の現存しないことを立證せねばならぬ。

2　受益者が惡意の場合　惡意の受益者は、其受けた利益に利息を附して返還し、尙損失者に損害あるときには、其賠償の責に任ずるから（七〇四條）、此場合の利得確定の時期は受益の事實の生じた時である。受益者が最初善意であつたが、後に惡意となつた場合には、惡意となつた時を標準として利得を確定しなければならぬ。

二　利得返還の範圍

不當利得は損失者の損失の範圍に於てのみ成立するから（七〇三條）、利得の確定と同時に損失者の損失を確定しなければ、返還すべき利得の範圍は確定しない。故に利得が損失に超過する場合には、受益者は損失の範圍に於て返還義務を負ひ、又損失が利得に超過する場合には、受益者は利得の範圍に於て返還義務を負ふ(昭和一一・七・八大判)。但、民法は、損失の範圍が利得のそれよりも大なる場合に、受益者が惡意であれば、損失者は受益者に對して其賠償を請求し得ると規定してゐる(七〇四條)。然し、斯る場合は不法行爲の原則に委ねるのが至當であらう。

三　利得返還の物體

受益者の受けた利益が原形の儘現存してゐるときには、其儘これを返還し(原物返還)、それが不能の場合には、これを金錢に見積つて返還(價額返還)すべきである。價額返還を爲す場合に、受益者が惡意であるときには、利得確定の時より法定利息を附すべきであり(七〇四條)、受益者が善意であるときには、返還の請求を受けたときから遲延利息を附すべきである(大正七・二・二一大判)。受益者が受益物から果實其他の收益を得た場合及び取得した債權を取立てた場合には、其等のものも返還せねばならぬ。受益者が取得した物を其客觀的價額以上に賣却した場合には、受益者の知能及び其ために費した勞力費用等を評價し、其超過する利益を適當に按分して、損失者の取得すべかりし利益を返還せねばならぬ。

第四章　不法行爲

第一節　總　說

不法行爲とは、法律の根本目的に違背し法律秩序を破る行爲であり、法律がこれを許すことの出來ないものとして評價する行爲である。故に不法行爲に與へられる法律效果は行爲者に對する損害賠償義務である。

我民法は個人主義・意思主義に立脚してゐるから、不法行爲に於て損害の負擔者を決するについても、行爲者に過失なければ責任なしとする過失主義を原則として居り（七〇九條）、純然たる無過失主義を採用してゐるのは、僅かに土地の工作物及び竹木の所有者の責任についてにすぎない（七一七條）。然し、現代に於ては、人間の最大の注意力を以てしても到底防止し得ない危險が增大しつつあるのであるから、過失主義によつて損害の負擔者を定めることが、却つて公平に反する場合も少くない。寧ろ危險な施設を爲した者、又は損害の原因たる事實によつて利益を受ける者に、損害を負擔せしめることが社會正義に適合する場合が多い。從つて我民法の個人主義的賠償理論を如何に團體主義的賠償理論に接近せしめて行くかに、解釋上並に立法上の問題がある。

第二節　不法行爲に於ける違法性

不法行爲に於ける中心問題は行爲の違法性である。それは加害行爲が公序良俗に反する方法に於て爲されたか否かの判斷によつて定まる。唯、現代の法律秩序に於て法律上保護される利益は、大部分權利の形式で規定されてゐるから、他人の權利を侵害することは、法の保護を破ることになり、其行爲は違法な行爲となる。故に現行法上違法性は「權利侵害」の形式で表現されてゐる。故に、

1　現行法上未だ權利の形をとつてゐなくとも、法律上保護すべき利益を侵害した行爲は違法となる。例へば、營業的活動上の利益・信用・貞操・氏名・肖像の如きものの侵害も不法行爲となる。

2　特定の法益の侵害がなくとも、公序良俗に反する方法に於て他人に損害を與へたときには、其行爲は違法となる。例へば、詐欺行爲・僞造文書の行使行爲・强迫行爲・不法な執行行爲により損害を與へた場合の如きである。

3　加害行爲が法律の禁止規定に反してゐなくとも、法の根本目的に反する以上、違法行爲となるから、假令加害行爲が權利行使の外形を有してゐても、それが權利の濫用と考へられる場合には、違法行爲となる(大正八・三・三大判)。

4　加害行爲を爲すにつき官廳の許可を受けてゐても、其許可は民事責任に於ける違法性を阻却するものではないから、各場合について其行爲の態様により違法性の有無を決定せねばならぬ。

第三節　違法性の阻却

行爲の違法性は次の事由により阻却される。

1　事務管理

2　被害者の承諾　承諾を與へることが公序良俗に反するときには、其承諾は何等の效力がない。例へば、自殺幇助の依頼の如きである。

3　適法な權利行使　例へば、親權者・後見人が未成年者を監護教育するために必要な懲戒を爲す(八七九條・八八二條・九二一條)如きである。

4　正當防衛　正當防衛とは、現在の不法な侵害に對し、自己又は第三者の法益を保護するがために、已むことを得ずして爲す自力救濟であり、其加害行爲については違法性が阻却される(七二〇條一項)。侵害が不法である以上、侵害者に故意あると、又侵害者が責任能力者であると否とを問はない。

防衛のために客觀的に必要なりと考へられる程度を超えた防衛行爲は、不法であり、防衛者に過失があつたときには、不法行爲となる。

防衛者が防衛のため已むを得ず第三者の權利を侵害しても、其行爲は不法行爲とならない。然し、被害者は防衛者に對して不法行爲を爲した者に損害賠償を請求することが出來る(七二〇條一項但書)。

5 緊急避難　これは、他人の物から生ずる急迫な危難を避けるがために、已むを得ず他人の物を毀損し得る自力救濟であり、違法性を阻却する（七二〇條二項）。尤も、必要な程度を超えた避難行爲は不法である。

第四節　責任能力

責任能力とは、自己の行爲の結果を辨識するに足る精神能力をいひ、斯る精神能力を有しない者は不法行爲による賠償責任を負擔しない。我民法が責任無能力者として規定する者は、辨識能力なき未成年者（七一二條）及び加害行爲の當時心神喪失の狀態に在つた者（七一三條）である。尤も、故意又は過失により一時の心神喪失を招いた者は、責任を免れない（七一三條但書）。

第五節　一般的不法行爲の要件

一般的不法行爲の成立要件は、故意又は過失によりて他人の權利を侵害し、よつて他人に損害を生ぜしめることである（七〇九條）。

一　故意・過失

故意とは、自己の行爲が違法な結果を生ぜしめるものであることを認識しながら、敢て爲すことをいふ。他人の法益を侵害せんとする意思、又は他人に損害を加へんとする意思のあることを必要としない（昭和五・九・一九大判）。

過失とは、行爲者が其場合に必要とされる通常人の注意を怠つたことである。換言すれば、行爲者が其場合社會上要求される注意をすれば、違法な結果の發生を避け得たのに拘らず、必要な注意を怠つたがために其結果の生じた場合である。故に過失の有無を判定するがためには、如何なる場合に如何なる注意を爲すことが、一般的に要求されるかが先決問題である。此問題は各具體的場合に於ける行爲の性質・行爲者の職業等を考慮して客觀的に定むべきであり、一律に定めることは出來ない。

故意・過失の擧證責任は損害賠償を請求する被害者にある。然し、賠償請求權者に於て相手方の過失を推定し得べき事實を證明したときは、相手方の反證なき限り過失を認定してよい（大正九・四・八大判）。殊に故意・過失に基くことが通常と認められるやうな加害行爲に於ては、一應故意・過失が推定されるから、斯る場合には加害者の側に於て故意・過失によらなかつたことを立證しなければならぬ。最近の判例では、過失に關する一應の推定が多い（昭和三・一〇・四、昭和五・一二・一七、昭和六・四・二、昭和八・六・二八大判）。これは過失責任より無過失責任への發展過程の形式として注目せねばならぬ。

二　權利侵害

侵害される客體は法律によつて保護される利益であればよく、敢て其利益が權利なる形式で表現されることを必要としない。

權利は、私法上のものである限り、總て被侵害利益となる。第七一一條は、親族關係の破壞による近親者の親族權の侵害の場合を規定してゐる。本條は其侵害の態樣を生命を害した場合にのみ止め、又其侵害を受ける近親者の範圍を被害者の父母・配遇者・子に限定してゐる。本條に所謂「生命ヲ害スル」とは、即死せしめた場合のみならず、廣く傷害を受けた結果死亡した場合をも含むけれども、死亡せずに不具者となつたやうな場合は、本條の適用を受けない。

營業上の老舖(大正一四・一一・二八大判)・營業上の祕密・信用等の如き財產的法益も被侵害利益となる。人格的法益も被侵害利益となる。其主なものは、

1　生命　生命は人格的法益中最高のものであり、身體とは別個なものである。苟くも加害行爲と死亡との間に相當因果關係のある以上は、生命侵害である。唯、卽死の場合には、被害者は侵害を受けると同時に死亡し、權利の主體が消滅することとなるから、生命侵害による損害の賠償は其相續人よりこれを請求せしめねばならぬ。これは生命侵害の性質上當然であつて、卽死による生命侵害を認める以上、其賠償請求權者は被害者の相續人であることをも同時に認めてゐるといはねばならぬ。

2　身體　身體の傷害とは身體の組織を破壞することであつて、人を傷け、毆打し、他人の頭髮を切斷するが如きである。尙、身體の中には健康をも含ましめてよいから、腐敗した物を賣つて、これを食した者に中毒せしめる如き場合も、身體傷害となる。

3　自由　他人を監禁するが如きは身體的活動の自由の侵害であり、詐欺・强迫は精神的活動の自由の侵害である。

4　名譽　名譽の侵害は社會的評價を傷ける行爲によるのであつて、通常は侮辱により行はれる。

5　貞操　貞操の侵害は、暴力を用ひたとか、心神喪失・抵抗不能を利用したとかの場合のみならず、正當の許諾を得なかつた場合をも含む。例へば、欺罔して性交を許諾せしめたとか、雇主・後見人・醫師等が其地位を濫用した場合の如きである。

6　氏名　他人の氏名を許諾なくして使用する場合は、氏名の侵害である。

7　肖像　肖像とは容姿の模寫であり、何人も其意思に反して寫生又は寫眞撮影されないことについて利益を有してゐる。然し、公的生活を爲すものとか、ニユースの關係者とかには肖像權がないから、肖像權の侵害が生ずるのは、他人の肖像を無斷にて陳列・頒布することが其人に對する侮辱となるやうな場合である。

三　損害の發生

損害とは、金錢に見積り得べき財産上の損害のみならず、精神上の損害をも含み、有形無形の利益の喪失一切を指す(七一〇條)。尙、不法行爲の成立には、加害行爲と損害との間に因果關係のあることを要する。

第六節　特殊の不法行爲

第一款　責任無能力者の監督者の責任

責任無能力者が不法に他人に損害を與へた場合、民法は、無能力者を監督すべき法定の義務ある者又は法定義務者に代つて無能力者を監督する者が、無能力者の加へた損害を賠償する責任を負ふと規定した（七一四條）。本條の賠償責任は、他人の行爲による責任であつて、法益侵害に對する監督者の故意・過失を必要としないから、此點に於て無過失責任であるけれども、監督義務者又は代理監督者が監督義務を怠らなかつたことを證明したときは、其責を免れ得ることとなつてゐる（七一四條一項但書）。

第二款　被用者の行爲による使用者の責任

一 總說

使用者は被用者を使用し、危險な施設を爲すことによつて利益を收めてゐるのであるから、「利益の歸する所に損害も歸する」との原則により、被用者が其業務を執行するにつき他人に加へた損害は、企業上の損害として、使用者自身に於て負擔するのが當然の事理である。我民法も第七一五條に於て、被用者の行爲による使用者の賠償責任を規定してゐる。然し、民法は、使用者の責任を絕對的な無過失責任とせずに、使用者に免責事由を認めてゐるのみならず(七一五條一項但書)、本條第三項よりすれば、使用者の責任は自己責任でなく、他人の行爲に對する責任であり、被害者保護のための特殊な責任となつてゐる。從つて我民法上の使用者の責任は企業者責任の理論に立つものといふことを得ない。

二 使用者の責任の發生要件

1 或事業のために他人を使用すること。　茲に所謂事業とは、仕事のことであり、事實的たると法律的たると、營利的たると否と、繼續的たると一時的たると、又家庭的な仕事であると、無報酬であるとを問はない。

他人を使用するとは、他人をして右の仕事の全部又は一部を實行せしめることであり、使用者が被用者を選任し、指揮監督する關係にあることを要するのみである(大正六・四・一六大判)。使用者と被用者の間に雇傭契約が爲されたこと、又其契約が有效であることを要しない。又、事業の執行につき或程度迄使用者の命令に服する以上は、被用者が執行事業の範圍內に於て自由裁量の權限を有するや否やも問はない(昭和八・四・二八大判)。故に被用者が第三者を使用し自己に代つて事業を執行せしめたときでも、使用者の許諾を得、其監督を受ける關係にある場合には、其第三者の不法行爲につき使用者が責を負はねばならぬ(昭和七・一一・一大判)。

2　被用者が第三者に加へた損害なること。　被用者が被害者に對し一般原則により不法行爲上の責任を負ふ場合に、使用者は本條による責任を負ふ。

3　被用者が使用者の事業の執行につき第三者に加へた損害なること。

4　使用者の責任に關する免責事由(七一五條一項但書)

三　代理監督者の責任

代理監督者とは、使用者に代つて事業を監督する者であり、監督のために使用者に雇はれてゐる者とか、使用者から監督につき委託を受けた者とかである。代理監督者も使用者と同様の責任を負ふ（七一五條二項）。此場合使用者も第一項により責任を負ふのであつて、不法行爲を爲した被用者の選任・監督について相當の注意をしたことを自ら證明しない限り、使用者は責任を免れることが出來ない。

四　被用者に對する求償權

民法は、使用者又は代理監督者が被害者に對して損害賠償をしたときは、被用者に對して求償を爲し得ると規定してゐる（七一五條三項）。然し、企業により多大の利益を収めてゐる使用者又は多大の報酬を得てゐる代理監督者が被用者に求償を爲すことは、信義則に反し、權利の濫用であると解してよい。立法論としては、本項を削除するのが正當である。

第三款　請負人の加害行爲に對する注文者の責任

請負人は自ら事業主として仕事を執行する者であるから、其仕事につき第三者に加へた損害を自ら賠償する責任を負ふのは當然であり、事業の主體でない注文者が賠償責任を負はないのは勿論である(七一六條)。但、請負人の違法行爲が注文者の注文又は指圖についての過失に基くときは、注文者は請負人を機關として直接に不法行爲を爲したこととなる。從つて注文者は、一般不法行爲を理由に、第三者の損害を賠償しなければならぬ(七一六條但書)。例へば、隣地の崩壞を生ずる虞ある工事を請負はしめたとか、乘客が全速力を以て自動車を走らすが如き場合であり、總て注文者の責任は自己の行爲に對する責任であるから、請負人に過失のあることを要しない。若し請負人にも過失あるときは、注文者と請負人の共同不法行爲となる。

第四款　土地の工作物又は竹木の占有者及び所有者の責任

一　責任の性質

土地の工作物は其倒壞破損により他人に損害を與へることが多いから、民法は、土地の工作物の設置又は保存に瑕疵あるがため他人に損害が生じたときは、其工作物の占有者が第一次的に賠償責任を負ひ、其工作物の所有者も第二次的に賠償責任を負ふ、と規定した

（七一七條一項）。本條の責任發生のためには、他人の權利侵害につき過失のあることを必要としないから（大正六・五・一九大判）、其責任は無過失賠償責任である。但、占有者が損害發生を防止するに必要な注意を爲したことを立證すれば、免責を受ける（七一七條一項但書）。反之、所有者の責任については、何等の免責事由が認められてゐないから、所有者は絶對的な無過失責任を負ふこととなる。

二　土地の工作物及び竹木の意義

土地の工作物とは、土地に接着して築造された設備であり、其永久的たると一時的たると、又土地の一部たると否とを問はない。例へば、建物・橋梁・堤防・水道管・電柱・電柱に懸れる電線等の如きである。天井・煙突・エレベーターの如き工作物の構成部分についても、本條の適用がある。

竹木は土地の工作物に類似してゐるから、民法は、土地の工作物の瑕疵に基く加害の規定を、竹木の栽植又は支持の瑕疵による加害の場合に準用した（七一七條二項）。茲に竹木の栽植とは、自然に成育する場合をも含む。

三　責任發生の要件

工作物の材料が粗惡であるとか、設計又は建造に瑕疵ある場合は、工作物の設置に瑕疵ある場合であり、設置後其修繕を怠つた場合は、工作物の保存に瑕疵ある場合である。何れの瑕疵であるとを問はず、其瑕疵が原因となつて他人に損害を與へたときには、占有者又は所有者は本條による責任を負はねばならぬ。損害の發生につき、風雨・地震其他被用者又は第三者の行爲が共同原因を爲す場合に於ても、占有者又は所有者は本條による責任を免れない（大正七・五・二九大判）。尚、占有者は、損害の發生を防止するに必要な注意をしたことを證明すれば、免責を受ける（七一七條一項但書）。然し、單に瑕疵のあること又は危險なことを公示するとか、通知するとかでは充分でなく、自ら損害の發生を防止するに必要な注意を實際上爲さなければ免責されない。

四　原責任者に對する求償

瑕疵ある工作物の前所有者又は前占有者、或は不完全な工事を爲した請負人等、其損害發生の原因につき責に任ずべき者あるときには、賠償を爲した占有者又は所有者は斯る責任者に對して求償を爲すことが出來る(七一七條三項)。

第五款　動物の占有者の責任

動物の占有者は、其動物が他人に加へた損害を賠償する責に任ずる(七一八條一項)。動物が他人に損害を加へるとは、動物の動作によつて他人の身體に傷害を加へ、若くは他人の物を滅失毀損した場合である。荷馬車の如きは、馬と荷車とが一體を爲してゐるから、車體によつて他人の身體若くは物に損害を加へた場合でも、動物が損害を加へた場合と解してよい(大正一〇・一二・一五大判)。動物が人の指揮に從つて動作し、其結果他人に損害を加へたときは、指揮者の第七〇九條による責任と、本條による動物の占有者の責任とが競合する。又、被害者が動物を興奮せしめた場合の如く、被害者に過失あるときは過失相殺の規定が準用される。

動物の占有者は、其動物の保管につき相當の注意をしたことを立證すれば、免責を受ける(七一八條一項但書)。又、占有者が動物の保管につき相當の注意をしても、尚損害の發生すべかりしことを立證すれば、責を免れると解してよい。

民法は、占有者に代つて動物を保管する者も同樣の責任を負ふと規定してゐる（七一八條二項）。占有者に代つて動物を保管する者とは、恐らく受寄者・運送人の如き者を指すのであらうが、占有意思の解釋如何によつて（物權三七頁以下參照）、斯る者も占有者といひ得る。

第六款　共同不法行爲

共同不法行爲とは、數人が同一の損害に對し違法な原因を與へた場合である。例へば、船舶を衝突せしめた雙方の船長（大正二・六・二八大判）の如きである。此場合には、各自連帶して賠償責任を負ふ（七一九條一項）。數人中故意・過失なき者あるときは、其者は共同不法行爲者とならない。然し、數人の違法行爲が共同して損害の原因となり、客觀的に關聯してゐる限り、必ずしも行爲者間に共謀又は共同の認識あることを必要としない（大正二・四・二六大判）。又、各自が損害の原因たる違法行爲に干與する限り、其中の何人が現實に損害を加へたかを問はない。民法も、共同不法行爲者中の孰れが損害を加へたかを知り得ないときでも、各人は連帶責任を負ふとしてゐる（七一九條一項）。判例も、鬪爭の決議に加つた者は現場に於ける加害者と共に共同不法行爲者としての責を負ひ、又現場に出動した者は何人が下手人なりや不分明なことにより共同不法行爲者としての責を免れることを得ないとしてゐる(昭和九・一〇・一五大判)。故に又、民法は敎唆者及び幇助者もこれを共同不法行爲者と看做した(七一九條二項)。

第七節　不法行爲の效果

一　總說

不法行爲の法律效果は、これによつて生じた損害の賠償請求權である。原則として此損害賠償請求權は、被害者に歸屬するけれども、生命侵害に於ては其相續人に歸屬する場合がある。尙、第七一一條は、損害賠償を請求し得る遺族の範圍を限定してゐる。又、第七二一條は、胎兒の父母が傷害又は殺害された場合に、胎兒の利益を保護するがため、損害賠償請求權につき胎兒を既に生れたものと看做してゐる。然し、加害行爲のため胎兒が死して生れたときは、母體に對する侵害となるけれども、胎兒自身の生命侵害とはならぬ。尤も、母體に對する侵害のために胎兒が畸形兒として生れたときは、其兒は本條により胎兒中に蒙つた損害の賠償を請求することが出來る。

二 損害賠償の方法

不法行爲に於ても、債務不履行の場合と同じく（債權總論三二頁以下參照）、損害賠償の方法は、原則として金錢賠償である（七二二條一項四一七條）。賠償金として一時に一定金額の給付を請求するのが通常であるけれども、裁判所が損害の情況及び程度により賠償方法として適當と考へるときには、年金又は割賦金の方法によらしめることも出來る（昭和三・三・一〇大判）。

金錢賠償の例外は、名譽權の侵害の場合である。此場合には、被害者の請求により金錢賠償に代へ、又はそれと共に、加害者をして謝罪文を出さしめ、又は謝罪の新聞廣告を爲さしめる等適當な處分を命ずることが出來る（七二三條）。尚、加害行爲が繼續し、又は反覆される虞あるときには、被害者は加害行爲の排除（明治三一・三・三〇、明治三八・一〇・一一、大正一一・五・四大判）停止（大正八・九・二七、大正一〇・一〇・一五大判）若くは豫防（明治四二・五・一〇、昭和七・一一・九大判）を請求し得る。

三 損害賠償の範圍

損害賠償の範圍は加害行爲と相當因果關係にある全損害である。財産上の損害の範圍を決定するには、加害行爲と損害との間の因果關係の存在を立證せねばならぬけれども、其數額については、特に立證しなくとも、裁判所が自由裁量により決定する。又、非財產的損害については、裁判所が當事者の身分・職業・地位・資產・加害行爲の態樣等諸般の事情を斟酌して、自由心證により其賠償金額を定め得る(大正九・五・二〇、昭和八・七・七大判)。

被害者に過失ある場合には過失相殺の問題を生じ(七二二條二項四一八條)、又被害者が損害を蒙ると同時に、其不法行爲により利益を受け、或は失ふべかりし利益の喪失を免れたときは、損益相殺の問題が生ずることは、總て債務不履行の場合と同樣である(債權總論三七頁以下參照)。

四 損害額の算定

1 物の滅失毀損の場合に於ける損害額の算定　此場合には、原則として加害當時の其物の價額を以て損害額とする。其物に特別價額ある場合に、加害者がこれを豫見し又は豫見し得べかりしときは、其特別價額を以て損害額とする(四一六條二項參照)。

2 生命侵害の場合に於ける損害額の算定　此場合には、先づ積極的に蒙つた損害として、醫藥料・死體の取片附並に運搬に要した費用、葬式費用等を算定し得る。次に消極的に失つた利益として、生命侵害なかりせば生存し得べかりし豫想年月を統計表により認定し、これに基いて被害者が生存せば得べかりし勤務所得を算定し得る。勿論、此際被害者自身の生活費を控除せねばならぬ（大正二・一〇・二〇、大正一五・二・一六、昭和三・三・一〇大判）。然し、生命保險金は保險料支拂の對價であり、又香奠は被害者又は相續人が不法行爲によつて受けた利益と見るのは妥當でないから（昭和五・五・一二大判）、これ等は損害額中より控除することを要しない。

被害者が若年にして未だ職業を有しないときには、被害者の能力・人格・身分・學歷等諸般の事情を考慮して將來得べかりし收入を算定せねばならぬ。但、此場合には其敎養に必要な敎育費をも控除せねばならぬ。

尙、被害者が天壽を全うして生命の利益を享受し得なかつた非財産的損害として、其地位・身分・職業等に相應した慰藉料の請求をも爲すことが出來る。

3　身體傷害の場合に於ける損害額の算定　此場合の積極的損害は治療費・休養費・休業により失つた賃金等である。被害者が不具者となつたときは、それがために將來得べかりし收入の損失又は減少を消極的損害として算定することが出來る。此算定は、統計表による餘生年數より勞働可能年數を定め、他方被害者の能力・人格・學歴等により被害前の收入と被害後に得べき收入との差額を算出して、裁判所の自由心證により爲される。尙傷害のため被害者が精神上の苦痛を受け、又は傷害のために容姿を害された非財産的損害に對して、慰藉料を請求し得る。

未成年者又は家族が身體傷害を受けた場合に、戸主・後見人其他の世帯主が治療費を支拂つたときは、右の世帯主より加害者に對し直接に治療費の賠償を請求し得ると解してよい(昭和一二・二・一二大判)。

4 遺族の損害額の算定　第七一一條による遺族の賠償請求は、主として慰藉料である。現に精神上の苦痛を感受する能力なき幼者若くは精神病者と雖も、將來苦痛を蒙るべき客觀的可能性が現存する以上、慰藉料の請求を爲し得ると解してよい。

5 扶養權侵害の場合に於ける損害額の算定　扶養義務者の殺害其他の事由により、扶養請求權又は扶養期待權が侵害された場合には、被害者は扶養を受くべき期間、扶養金の賠償を請求し得る。尤も、遺族が工場法・鑛業法・災害扶助法等により扶助料の支拂を受けたときは、それを賠償額より控除せねばならぬ。

6　貞操侵害の場合に於ける損害額の算定　貞操侵害による精神上の苦痛に對しては慰藉料を請求し、身體を害されたときは、其治療費を請求し得る。尙、姙娠したときは、分娩費・産褥費・休業のために失つた利益の賠償を請求し得る。

7　名譽侵害の場合に於ける損害額の算定　此場合には、慰藉料を請求し得る。

五　損害賠償請求權の時效

民法は、不法行爲による損害賠償請求權につき、特別の消滅時效を規定してゐる（七二四條）。不法行爲の損害賠償請求に附加される遲延利息債權の消滅時效についても、本條を適用してよい（昭和一一・七・一五大民聯判）。

本條に所謂「損害及ビ加害者ヲ知リタル時」とは、特定の加害者の不法行爲により損害を蒙つたことを知つた時の意味であり（大正七・三・一五大判）、其損害の程度又は數額を知つたことを要しない（大正九・三・一〇大判）。

債權各論條文索引

頁數の内ゴチック數字は主なる説明のある箇所を示す。545 I 但は第五四五條第一項但書を示す。

（日本出版協會會員番號 A125007）

昭和十三年十一月三十日 初版發行
昭和二十三年十一月十五日 八版發行

改訂 民法大要（債權各論）

著作者 石《いし》田《だ》文《ぶん》次《じ》郎《ろう》
東京都千代田區神田神保町二ノ十七

發行者 江草四郎
東京都千代田區神田鎌倉町十一番地

印刷者 淺野末五郎
東京都千代田區神田神保町二丁目十七番地

發行所 書肆 有斐閣
電話九段(33)〇三二三・〇三四四
本郷支店 文京區東京大學正門前
京都支店 左京區吉田牛ノ宮町三

配給元 日本出版配給株式會社
東京都千代田區神田淡路町二丁目九番地

印刷 淺野印刷所
製本 稻村製本所

改訂　民法大要（債権各論）
（オンデマンド版）

Digital Publishing

2000年9月1日　　発行

著者名　　石田文次郎
発行者　　江草忠敬

発行所　　株式会社有斐閣
〒101-0051　東京都千代田区神田神保町2-17
TEL03（3264）1315（編集）　03（3265）6811（営業）
URL http://www.yuhikaku.co.jp/

印刷・製本　　株式会社　デジタル パブリッシング サービス
〒162-0813　東京都新宿区東五軒町6-21
TEL03（5225）6061　FAX03（3266）9639

AA184

ISBN4-641-90007-8　　Printed in Japan